採用基準

地頭より
論理的思考力より
大切なもの

伊賀泰代

ダイヤモンド社

はじめに

二〇一〇年末までの一七年間、私は、コンサルティングファーム、マッキンゼー・アンド・カンパニーの日本支社で働いていました。当初五年間はコンサルタントとして働き、残りの一二年間はコンサルタントの採用業務を担当、一時は、新人コンサルタントのトレーニング講師も務めました。

採用マネジャーとしては、大学生の新卒採用に加え、欧米のビジネススクールに在籍する日本人留学生の採用、社会人のキャリア採用など、日本支社のコンサルタント採用に全面的に携わりました。

新卒採用の説明会ではひとつの大学から数百人の希望者が集まるため、巨大な会場で何度もセミナーを開催し、ＭＢＡ採用のためにも年に幾度となく渡米渡欧して、セミナーや個別説明会、面接を行いました。採用イベントの企画や、ウェブサイト、パンフレット作成など外向きの仕事に加え、グローバルな面接の標準プロセスを日本支社に導入し、若手面接担当者の育成にも取り組みました。

しかしひとことで言えば私のミッションは、将来、ファームのパートナーとなる卓越した才能（タレント）を見いだし、マッキンゼーの門をくぐらせることでした。最終的に採用の判断をするのはシニアパートナーたちです。しかし彼らが大量の候補者全員に会うことはできません。私の役目は最初に候補者と面談し、その後の面接に進む人を選抜することでした。

当時よく、「優秀な人があれだけ応募してくるのだから、マッキンゼーの採用担当者なんて楽な仕事でしょう」と言われました。たしかに説明会の参加者集めに苦労したことはありません。しかし必要な採用人数の確保は、毎年大きなチャレンジでした。日本で最も優秀な人が応募してきているはずなのに、十分な採用ができないのです。

その背景には、「外資系コンサルティングファームが求める人材のイメージが、正確に理解されていない」という事情があります。より具体的に言えば、「マッキンゼーをはじめとする外資系コンサルティング会社は、とにかく頭のいい人を求めている」と思われているのです。

しかもその「頭のよさ」とは、学歴が高いことやケース問題がスラスラと解けることだと解釈されています。最近よく聞く〝地頭〟という言葉も、フェルミ推定など、特定の問題解決手法を使いこなせることと同義のように語られています。しかし採用の決め手になるのは、地頭でもケース問題の正答率でもありません。

採用したい人材像を正確に伝えられていないのは、採用マネジャーである私の責任です。そこで状況を詳細に調査し、まさにコンサルティング的な分析手法を使って、問題の根本的な原因を考えてみました。

そこで突き当たったのは、グローバルビジネスの現場で求められる資質に関して、日本ではその基本的な概念さえ理解されていない、という現実でした。たとえば最近はよく、〝グローバル人材〟の育成が必要と言われますが、私にはこの言葉も、致命的な問題を内含しているように感じられます（理由は本文内にて詳述します）。

またそれらの検討を通して、実はマッキンゼーが求める人材は、今の日本社会が必要としている人材とまったく同じだということにも気がつきました。まさか多くの人が、「これからの日本には地頭のよい人が必要だ」と考えているわけではないでしょう。同様にマッキンゼーも、地頭がよければ採用したい、などと考えているわけではありません。

マッキンゼーが求める人材も、日本が必要としている人材も、実質的には同じであるにもかかわらず、その概念が正確に理解されていないため、グローバル人材などという中途半端な単語が一人歩きを始めているのです。

これからの人材に必要とされている資質とは何なのか、それがきちんと理解され、一人ひとりが身につけることができれば、長期にわたる停滞と閉塞感に苦しむ日本社会や企業を変えていけるだけでなく、個々人の生き方も大きく変わっていくはずです。特に、これからキャリアの基礎を築いていく学生や若手のビジネスパーソンにとって、それは非常に重要なことです。


私には今も守秘義務があります。また退職からも、二年がたとうとしています。したがって本書の内容は、現在のマッキンゼーの人事制度や採用基準の解説ではありません。

本書で目指したのは、「これからの時代にグローバルビジネスの前線で求められるのは、どのような資質をもった人なのか」という点、ならびに、「日本ではなぜそれらの資質が正しく理解されていないのか」という根本的な原因を究明することです。

さらに、「それらの資質やスキルを身につけることによって、世の中はどう変わるのか」という社会的な側面と、「それらを身につければ、個々人の働き方やキャリア形成はどう変わるのか、どのような人生を歩むことが可能になるのか」という個人についての意味合いを明らかにすることです。

マッキンゼーの採用マネジャーとして一〇年以上にわたり働いた中で学んだこと、得られた知見をもとに、若い世代の日本人がこれから何を目指し、どんな資質やスキルを身につけるべきなのか、少しでも具体的に提示することができれば心より嬉しく思います。

キャリア形成コンサルタント
伊賀泰代

採用基準　目次

第2章 採用したいのは将来のリーダー 64

第5章　マッキンゼー流リーダーシップの学び方　138

第6章 リーダー不足に関する認識不足 166

第7章 すべての人に求められるリーダーシップ 194

終章 リーダーシップで人生のコントロールを握る 218

序章

マッキンゼーの採用マネジャーとして

マッキンゼーでの一七年間

一九九三年の夏、私は二年間の学生生活を送った温暖なカリフォルニアから、灼熱の東京に帰国しました。コンサルティングファーム、マッキンゼー・アンド・カンパニーの日本支社で働くためです。自費でＭＢＡを取得したばかりの私の貯蓄額はゼロ、マッキンゼーから受け取った入社準備金でアパートを借り、急ごしらえで家財道具を揃え、二年ぶりとなるビジネススーツに袖を通しました。その後一七年にも及ぶこととなった、マッキンゼーライフの始まりです。

この業界には「アップ・オア・アウト（Up or Out）」という原則があります。これは、キャリア形成上の節目には「昇格するか、組織を出ていくか」というふたつの選択肢しか存在しないことを意味し、米系コンサルティングファームの人事制度を象徴する言葉としてよく使われます。

この原則を厳密に適用すれば、私が一七年間マッキンゼーに居続けるためには、その間、常に「アップ（昇格）」を続けていく必要があり、ディレクター（シニアパートナー）に昇格していなければ計算が合いません。しかし、私の選んだ道はそれとは異なるものでした。

最初の五年間はコンサルタントとして働き、その後一九九八年からは、人事関連の業務を担当するマネジャーに職種を転換したのです。当時の担当は、コンサルタントの中途採用と入社後のトレーニングでした。さらにその六年後からは、新卒採用も含めたコンサルタント全体の採用部門のマネジャーとなりました。

合計で一〇年以上、マッキンゼー日本支社の採用マネジャーを務め、その間、同社に応募してきた候補者の大半（正確には、履歴書審査や適性検査に合格した候補者）に〝最初の面接者〟として会っています。その数は合計で数千人にのぼるでしょう（守秘義務の関係で、この数字を含め、本書内の一部数字は幅をもった記載となっています）。そしてその中には、まさに「才能（タレント）」と呼ぶにふさわしい個性的な人材も数多く含まれていました。

この時期（二〇〇〇年〜）は、日本でも外資系コンサルティングファームへの就職人気がかつてなく高まった時期です。私はマッキンゼーを志望する全国の一流大学の学生や、欧米のビジネススクールに在籍するあらゆる業界の社会人留学生と個別に話す機会を得、彼らの人生におけるキャリアの岐路、人生の転機に立ち会うことにもなりました。

そして、マッキンゼーで一二年にわたって人材関連業務を経験する中で、日本の教育に足りないモノは何なのか、この国において求められているのはどのようなスペックの人材であり、そういった人材はどのようなキャリアパスを経て育成されるのか、といったことについて真剣に考えるようになりました。

コンサルタントとして入社したマッキンゼーにおいて、人材育成や採用の担当者に職種転換するというキャリアは、一般的なものではありません。しかし今から考えると、私は早い段階から「人材育成やキャリア形成」に関心をもっていました。それはマッキンゼー入社前に留学したアメリカのビジネススクール時代から始まっています。

バブル期の金融業界でMBA留学を決意

マッキンゼー入社の七年前、一九八六年に一橋大学法学部を卒業した私は、日興證券（当時）の引受部で総合職として働き始めました。この年は男女雇用機会均等法の施行年で、私の就職活動はその前年ですから、多くの日本企業が「総合職の応募は男性のみ」と公言する最後の年に就職活動をしたことになります。

今では考えられないことですが、当時の日本企業は、男子学生の採用プロセスをすべて完了してから、女子学生の応募受付を始めていました。均等法施行前ということで、「来年なら採用枠があるんですけどね」などと言われ、門前払いをされた企業もあります。そんな中、女性総合職の採用を法律施行に先駆けて始め、「総合職の場合には、男性と同様に社員寮を用意する。制服も着る必要はない」という当時の日興證券の方針は、日本企業としてはかなり進んだものでした。

それでも同期入社した新入社員の男女比は、男性約三五〇名に対して女性は八名のみ。女性八名の出身大学は東京大学が二名（法学部と経済学部）、一橋大学が二名（法学部と経済学部）、慶應義塾大学、早稲田大学、上智大学から各一名、それにアメリカで大学を卒業したアメリカ人女性が一名という内訳です。山口百恵夫妻が住み始める前の、のどかな国立市《くにたち》で呑気な学生時代を過ごしていた私は、突然目の当たりにした社会の現実に驚愕していました。

時はまさにバブル。入社時に一万五〇〇〇円台だった日経平均は、三年後の一九八九年末に史上最高値の三万八九一五・八七円をつけ、株式に投資するすべての人が大儲けできる相場の中で、証券業界は我が世の春を謳歌していました。

私が所属していた法人の資金調達部門でも、大型の時価発行増資、転換社債やワラント債の発行が相次ぎ、主幹事を務める大手証券会社は、ひとつの資金調達案件から数億〜十数億円の手数料を手にすることができました。当時はまだ女性総合職が珍しかったこともあって、接待ゴルフや宴会にもたびたび駆り出され、昼はオフィスのある丸の内と監督官庁がある霞が関、夜は接待で銀座、休みの日には黒塗りのハイヤーが迎えにきて名門ゴルフコースへという、今では考えられないような新社会人生活を送っていたのです。

けれどそれは、働き始めて数年目の私にさえ持続不可能なものに見えました。大蔵省（当時）の護送船団方式に守られ、自己資本の手当もせずにいくらでも資金を貸し出せる銀行、その資金を土地や株式投資に回すだけで、本業の〝モノづくり〟より何倍も大きな利益を手にできるメーカー、寡占市場の中で高額な手数料を得ることができる四大証券（野村、大和、日興、山一）。バブル経済という特殊な時代に、証券会社の法人部門という極端な場所で初めての社会人経験を積んだ私は、誰にも止められないほど大きな力ですべてを飲み込んでいく、市場の力に圧倒されていました。

そんなバブル狂騒時代、日本に進出し始めた外資系投資銀行は、大手の証券会社から次々と人材を引き抜き、日本でも本格的に法人業務を始めようとしていました。当時の日本の資本市場には、日本独特のルールが数多く存在しており、外資系投資銀行は日本の大手証券から人を引き抜くことで、それらのノウハウを得ようとしていたのです。

ある日、外資系金融機関に転職した先輩から食事に誘われた私は、「日本の金融ビッグバン（金融の自由化）も目前だ。おまえもその前にしっかり勉強して、世界で通用する米系の投資銀行でキャリアを積め」とアドバイスされました。そして、「まずは最低学歴としてアメリカのＭＢＡを取ってこい」と言われた私は、その翌週にはＴＯＥＦＬとＧＭＡＴの申込書を書いていました。それは日経平均が史上最高値をつけた、数カ月後のことでした。

一九九一年の夏から留学したカリフォルニア大学バークレー校は、温暖な気候に風光明媚な景色も美しいサンフランシスコ対岸のベイエリアに位置しています。アジア系を含め世界各国から留学生が集まり、シリコンバレーブーム以前の当時は物価も安く、一年中Ｔシャツとジーンズで過ごせる気楽な学生の街でした。

アメリカのＭＢＡ留学というと「夜も寝ずに課題図書やケース分析、グループワークに没頭」という体験談をよく目にしますが、私の学生生活はのんびりしたものでした。たしかに英語で資料を読むのは、日本語で読むより時間がかかります。しかしビジネススクールで教えられている科目はどれもごく初歩的な内容です。証券アナリストの資格も取得し、金融業界で五年も働いていた私にとっては、特に難しい内容ではありませんでした。またアメリカ人の同級生は、職務経験三年程度で入学してきているので、驚くような深い知見や経験値をもっているわけでもありません。

成績へのこだわりも強くなかったため、予習や宿題など最低限の勉強で単位を確保し、あとは世界各国から集まった留学生らと、それぞれの国の料理を振る舞い合って世界のグルメを楽しんだり、メキシコや南米へも頻繁に旅行したりしました。バブル時代まっただ中で多忙な五年間を過ごした後だったので、買い物や映画鑑賞、読書を含め、久しぶりの学生生活を楽しんでいたのです。

ただ、授業の中身に特筆すべき点はなくても、ビジネススクールというアメリカの大学院教育の仕組みには、興味を引かれる点がいくつもありました。そして、「なぜこういう学校が日本にはないのだろう」と何度も考えました。

授業で学ぶファイナンスや統計、経済学、マーケティングや組織論など、基礎科目の内容はごく一般的なものです。アメリカの教科書は説明過多と言えるほど丁寧に書かれているので、読むだけでもそれなりに理解を得ることができます。

しかし、説得力のある話し方やプレゼンテーションの技法、交渉技術やその背景にある心理学まで教えるコミュニケーション関連の授業や、リーダーシップ、チームマネジメントなどを学ぶ実践型の人的スキル関連のクラスは、当時の日本の大学ではほとんど見られない分野でした。こういったスキルを大学院教育で学ばせるというコンセプト自体が、目新しいものだったのです。

また、当時アップルを追い出されていたスティーブ・ジョブズ氏や、カジュアル衣料の製造販売企業GAPの創業者など、近隣に住むビジネスリーダーがひっきりなしにキャンパスを訪れ、学生らにビビッドな起業ストーリーを共有してくれました。これらの講演会では、経営やマーケティングに関して実践的な学びが得られることはもちろん、どのリーダーも圧倒的に魅力的で、話を聞いているだけでワクワクでき、働くことへの動機を高めてくれる優れたビジネス教育となっていました。

授業の中には、近隣のNPOや学校、中小企業を訪問し、それらの組織の戦略策定やマーケティング、資金調達や組織問題の解決を支援するコンサルティングの実践授業もあり、日本の大学でもこういった授業を取り入れれば、どんなに勉強になるだろうとよく想像していました。

「アメリカ人に世界を教える」ビジネススクール

ビジネススクール自体の戦略も、日本の大学とは異なります。彼らは世界中から留学生を集めていますが、それにはふたつの理由があります。

ひとつめは、世界中のタレント（才能）を集めることで、大学の地位と評判を確固たるものにしたいということです。アメリカは移民の国であり、ノーベル賞受賞者にも、大企業の創業者にも元移民がたくさんおり、どこの大学も出身国にかかわらず、将来において各界をリードする人材を獲得したいと考えています。また、各国の優秀な学生が将来それぞれの国でリーダーとなることにより、「世界中のリーダーを輩出している学校」という評判も手に入れられます。そのために彼らは、優秀な学生を世界中から集めようとするのです。

もう一つの理由は、「アメリカ人学生に世界を教える」という目的です。

アメリカ人の学生も、最初は必ずしも〝グローバル人材〟などではありません。世界のどこに行っても英語が通じるし、どの国でも慣れ親しんだハンバーガーが食べられます。国内市場も大きく、アメリカ以外のことを勉強しなければならない必然性や、海外で働かなければならない必要性は高くありません。一国の中にすべてが揃っているため、海外旅行をする人さえ多いわけでもないのです。

それでもアメリカにマルチナショナルと呼ばれる多国籍企業が数多く生まれるのは、ビジネスパーソンに対して、常に「世界を見よ」と教える土壌と価値感があるからです。そしてその教育を行う中心的な場所が、ビジネススクールなのです。

数十カ国から集まった同級生とともに数年間の学生生活を送ることで、アメリカ人学生らは、世界についてさまざまなことを学びます。たとえば、「基本的な価値観を共有しているはずのヨーロッパでさえ、ここまでアメリカと違うんだ！」、「アジアはひとつの文化圏だと思っていたけれど、それぞれの国はこんなにも違うものなのか」、「中東では、今でもこんな習慣が残っているのか!?」といった具合です。

世界各国から集められる留学生は、いわばアメリカ人にとっての「外国人サンプル」です。彼らは大学の授業で日本人学生と一緒にグループワークを体験することで、将来、日本人と交渉をする際に役立つ「日本人の〝はい〟は、英語の〝YES〟とは違う」とか、「日本人と議論する時は、こういうことに気をつけないと、本音が引き出せない」などといった感覚を学んでいくのです。

最近はどこのビジネススクールも日本人学生の数が減っているのですが、これも日本からの応募者の減少や英語力の問題だけが理由ではありません。「今後はインド人とのビジネスのやり方、中国人との働き方をしっかりとアメリカ人学生に教えておく必要がある」と考えた学校側が、それら新興国からの留学生に一定の入学枠を与えるため、これまで多かった日本人の枠を減らしているのです。

このように「アメリカ人ビジネスパーソンが世界で働く時に困らないよう、学生時代に世界中の人たちと協業する機会を与えて学ばせる」、これが彼らが、できるだけ多くの国から留学生を受け入れようとする理由のひとつです。つまりビジネススクールは、ともすれば国内だけに目を向けがちなアメリカ人学生の視点を世界に開き、グローバル・ビジネスパーソンに育て上げるための教育機関であり、そのための環境設定として、世界各国から留学生を受け入れているというわけです。

振り返って日本の大学や大学院の姿勢はどうでしょう。積極的に留学生を受け入れているところでも、特定国ばかりから学生を受け入れている大学も多く、「キャンパス内で世界を体感できる環境をつくる」というよりは、「少子化による日本人学生の減少を、海外からの留学生で埋め合わせる」という、学生数確保の目的ばかりが透けて見えます。

最近は英語で授業を行う大学も出てきましたが、その場合でも、教師は外国人だけれど、学生の大半は日本人です（立命館アジア太平洋大学など、ごく一部の例外も存在します）。それは世界中から留学生を集め、「多様な国の同級生と学生生活を送ることで、世界で働くことが体感できる環境をキャンパス内につくろう」とする、アメリカの大学の発想とはかけ離れています。

アメリカという国は、もともとは極めて内向きな国です。アメリカの価値観、アメリカの民主主義こそが世界の正義であると考え、世界中の人が英語で話し、ジーンズをはいてコーラを片手にハンバーガーを食べる世界を〝豊かな世界〟だと思っているかのように振る舞います。

しかしその一方で彼らは、会社を立ち上げたその瞬間から世界中での事業展開を視野に入れている起業家も数多く育てています。

モンロー主義などをもち出すまでもなく、もともとドメスティック志向が強く、自国の価値観や文化に揺るぎない自信と満足感をもっている一方で、常に世界に目を開き、世界で活躍できる人材を育てる……このアメリカのやり方は、そのまま今の日本にも必要なものではないでしょうか？

日本では「グローバル化が必要」というと、すぐに「日本には日本独自の文化や価値観がある。海外の慣行をそのまま移入することはできない」といった意見が出されます。しかしグローバル化を進めることは、日本の価値観や文化を軽視することではありません。むしろ反対に、世界とつながることでそれらが見直されることはよくあることです。

さらに言えば、自国のユニークな文化に確固たる自信があるからこそ、世界に目を向けて飛び出していき、世界からさまざまなものを受け入れることもできるのです。アメリカが世界各国から人を受け入れ、アメリカ企業が世界中でビジネスを展開しても、アメリカは常に、極めて〝アメリカ的〟です。日本にも同じことは可能でしょう。

「なぜ日本は、世界で活躍できる人材をもっと積極的に教育機関で育てようとしないのか」、私は留学中に何度もそう考えました。

誤解をおそれずに言えば、たとえトップクラスのビジネススクールであっても、教えられている個々の授業内容に、あの高額な授業料を正当化するだけの価値があるとは思えません。特に最近の授業料の高騰は、グローバルな〝学位ビジネス〟の様相を呈してきています。しかし、彼らの学生の集め方、アドミッション（入学審査）の方法やその指針、カリキュラムの設計方法、学校全体の運営方法、そして正規の授業以外のカリキュラムも含め、「どんな人材を育てようとしているのか」という思想には、日本の教育機関が学ぶべき点が数多くあります。

私が二年間のＭＢＡ留学で学んだのは、最先端のファイナンス理論でもマーケティングメソッドでもなく、世界で活躍できる人材を育てながら、多額の外貨を稼いで世界中の頭脳を集め、街に活気をもたらし、在学生の多くをアメリカの理解者、アメリカのファンに育て上げていくという、あまりにもよくできた彼らの人材育成システムでした。

しかし、「アメリカはこうやって人を育てているんだ」と感心しながらビジネススクールを卒業し、マッキンゼーに入社した私は、その後、さらに洗練された人材育成の仕組みを目の当たりにすることになりました。

コンサルティングより人材育成システム

二〇代を終えたばかりでマッキンゼーに入社した直後は、大企業の経営者が抱える課題に数人のチームで取り組むという、無謀にも思える仕事のやり方に驚きました。そのスピード感や担当する分野の領域の広さ、解くべき問題の複雑さは、前職での経験やビジネススクールでの学びをはるかに超えるものでした。

そんな中、戸惑いながらも勢いにまかせてがむしゃらに働き、二年後にマネジャー（正式呼称は、Engagement manager）に昇格、合計五年間、コンサルタントとしてさまざまなプロジェクトに関わりました。

マッキンゼーでは同社を辞めた人のことを「卒業生」と呼ぶのですが、彼らの多くが語るように、基本的な問題解決の手法やプロジェクトの進め方、業界を俯瞰し、経営者の視点で物事を見る訓練など、五年間で多くのものを学びました。しかしここでも私は自分の関心が、トップマネジメント・コンサルタントという仕事ではなく、「マッキンゼーの人材育成の仕組み」にあることを強く意識するようになりました。

特にマネジャー昇格後は、社内トレーニングの講師や、自分のチームへのサマーインターンの受け入れ、採用活動への参加機会も急増します。当時、採用面接を担当するためには、グローバルに行われるファーム内の面接研修に参加する必要があり、私もロンドンで行われた二泊三日のトレーニングに参加しました。そこではケース面接の細かな方法論や、質問の言葉遣い、評価基準の詳細や評価表の記入方法、さらには人種や宗教関連など、禁じられている質問事項についてコンプライアンスのルールも学びます。

このトレーニングに参加した時、私はすでにマネジャーに昇格していましたが、地元のロンドンオフィスから参加しているコンサルタントの中には、まだ入社して一年そこそこのメンバーも含まれていました。トレーニングでは最初に面接の方法論について理論を学び、次に数人のグループに分かれて模擬面接を繰り返します。そこでお互いにフィードバックをしながら、実践的に面接方法を学ぶのです。そしてこの時、私はマッキンゼーの問題解決スキルや、インタビュー方法の威力を体感することになりました。

というのも、イギリス人コンサルタントから見れば子供の英語のように聞こえるであろう、私のシンプルな英語での面接質問や彼らの模擬面接へのフィードバックが、何度も「非常に効果的な質問だ」、「極めて役に立つフィードバックだ」などと高く評価されたからです。

私はビジネススクールに在籍していた頃の、スタディチームでの経験を思い出しました。当時は英語のネイティブスピーカーのアメリカ人とチームを組み、その中で自分の価値を出すことは容易ではありませんでした。少々の知識や彼らより長い社会経験があっても、英語力に格差があるため、チームに価値ある貢献をするには相当の努力が求められたのです。

ところがロンドンで面接トレーニングに参加した時、マッキンゼーに入って三年目の私には、入社一年目のイギリス人コンサルタントにアドバイスできることがたくさんありました。

私の英語力が急に向上したわけではありません。そうではなく、入社後にプロジェクトの中で身につけた問題解決スキルや、情報収集のための各種インタビュースキルが、採用面接においても当然に求められるため、そのスキルをベースにして、まだ一年目のコンサルタントに対して役立つアドバイスができたというわけです。

これは、問題解決や情報収集インタビューのスキルが、語学力の差を埋め合わせるほどパワフルだということを示しています。この時の面接トレーニングで私は、効果的なビジネススキルを身につければ、必ずしも英語のネイティブでなくてもグローバルなチームを率いて働くことが可能になるのだと実感しました。

マッキンゼーでは、コンサルタント向けのスキルトレーニングもその多くが全世界共通です。入社時トレーニングでも世界中で同じテキストが使われており、新人の時に自分自身が受けたトレーニングを、数年後にマネジャーとなってから、講師として担当することもあります。

その際には分厚い講師用マニュアルを渡され、どのように新人コンサルタントに教えていくべきかという方法論を学ぶのですが、それにより、自分の受けた研修が極めて詳細に設計されていたことにも気がつきました。特定のスキルを学ばせるためには、どのようにトレーニングを設計すればよいのか。運用上の工夫も含め、グローバルなケース研修の裏側を学べたことは、人材育成の仕組みに関心をもち始めていた私にとって、大変興味深いことでした。

こうしてコンサルタントとしてクライアントワークに従事するかたわら、社内トレーニングや採用面接に協力しているうちに、次第に私は「こちらのほうが自分の関心分野に近いし、これからやってみたい仕事に近いかもしれない」と考えるようになりました。

その頃の私は、マネジャーから準パートナーへの昇格を目指すべく、自分の専門領域をより明確化する必要に迫られていました。コンサルタントとしてキャリア形成の節目を迎えていたのです。当時は主に事業開発やマーケティングのプロジェクトを手がけていたのですが、専門領域を人材育成や組織論に変更してパートナーを目指すという選択肢もありました。しかし私には、マッキンゼー自体の人材採用や育成担当として実務を担当するほうが、魅力的な仕事に思えたのです。

それほどまでにマッキンゼーの人材関連制度は、よくできていると思えました。「この組織がもっている人材育成の仕組みをすべて学びたい。これを身につければ、コンサルタントとして働き続けるより、よほど大きな価値を将来、社会に提供できるようになるはず」と感じ、生まれて初めて、自らのキャリア形成に関して大きく舵を切ったのでした。

新しいポジションを自ら設計・提案

「生まれて初めて、自分の意思でキャリア転換をした」……コンサルタントから人材育成・採用マネジャーへ職種転換したことについて、私は今でもそう考えています。

実際には、大学卒業後に就職活動をし、その後、その企業を辞めてアメリカに留学することを決断、マッキンゼーを選んでコンサルタントに転職……私はこれ以前にも数回のキャリア選択をしてきています。それぞれの決断についても、しっかりと自分で考え、選んできたキャリアのつもりでした。

しかしマッキンゼーに入ってから、私はそれらが「必ずしも自分の意思で選んだキャリアとは言えないかもしれない」と感じ始めていました。高校生の頃には、「学力の範囲内で最も難易度の高い大学に行きなさい」と言う親や教師のアドバイスに、疑問を感じることもなく従いました。大学に入った後も、「採用してもらえる企業の中で、一番いい会社に入るべき」と考え、就職活動をしていました。この頃の〝いい会社〟とは、東証一部上場で誰でも知っている大企業であり、業界シェアがトップに近い企業を意味しています。

さらに就職した後は、「金融業界では欧米系の投資銀行が世界の頂点にいるのだから、そっちに転職すべきかも」とか、「アメリカのビジネススクールで学位を取っておかないと、キャリアアップは難しいらしい」と考え、転職や留学を検討しました。

当時はそれらの道を「自分で選んだ」と考えていましたが、今から振り返るとそうではありませんでした。いつの間にかすり込まれた世間の評価基準に沿って〝上〟を目指すことが、キャリアアップだと思い込んでいただけです。

ビジネススクールの夏休みには、ゴールドマン・サックス・ジャパンの投資銀行部門でサマーインターンとして働きました。この頃までは、留学後は金融業界に戻ることも考えていたためですが、後から考えればこの選択も安直なものでした。一九九三年当時は、まだＩＴ企業の隆盛や起業ブームが始まっておらず、投資銀行とコンサルティングファームはビジネススクールの学生にとって憧れの業界でした。そしてそれが、私が「そのどちらかに入ろう」と考えた理由なのです。

今から思い出せば同じクラスには、「カリフォルニアでワイナリーの経営者になって、世界中にアメリカワインの美味しさを広めたい」と言っている同級生や、「各国の一流エンタメをアメリカにもち込んで紹介するビジネスに携わりたい」と意気込む、日本のアニメが大好きな友人もいました。

けれど当時の私には、ビジネススクールまで卒業して、なぜローカルなワイナリーへの就職を目指すのか、さっぱりわかりませんでした。「まずは好きなマンガを翻訳して販売する」と嬉しそうに話す友人を見ても、「趣味と仕事の区別がついていないのでは？」などと考えていたのです。もちろん、今から考えればよくわかります。彼らこそ世間の評価に惑わされず、自分がやりたいことを理解していたのです。

一方、「マッキンゼーとゴールドマン・サックスのどっちにしようか」と考えていた私は、相変わらず世間の評価基準に沿って、進むべき道を選ぼうとしているだけでした。しかも私は、それらを「自分で考えて選んでいる」と思い込んでいたのです。

しかしその後、そういった考えは大きく変わりました。マッキンゼーのトレーニング、そしてクライアントワークにおいて、コンサルタントは常に世間の常識を鵜呑みにせず、自分でゼロから考えるよう求められます。他者の、世間の、一般的な考えではなく、自分のオリジナルな考えを突き詰めること。それは、MECE (Mutually Exclusive, Collectively Exhaustive) やロジックツリーなどテクニカルな問題解決スキルより、よほど重要な基本姿勢としてたたき込まれます。

顧客企業の課題解決のために身につけたそれらの基本姿勢は、自身のキャリア形成に関する検討にも影響を与えます。私も含め大半のコンサルタントは、マッキンゼーに入るまで「世間がよしとするキャリア」を着実に歩んできた優等生ばかりです。しかし入社後には多くの人が「自身が進みたい道をゼロから考える」ことに目覚め、それまでとは異なる選択を始めます。

マネジャーからパートナーを目指すにあたって、ふたたび自らのキャリアについて考える時期を迎えていた私は、「パートナーを目指すのか、それともマッキンゼーを辞めるのか」という、目の前にあるふたつの選択肢だけではなく、ほかにも何か別の道があるのではないかと考え始めていました。「自分が一番関心のある仕事を選ぶべき。目の前にそれがないなら、自分でつくればいい」と、今度は自然に考えることができたのです。

個々人が成果を出すことを厳しく求めるコンサルティングファームですが、反対に成果さえ出していれば、本人の適性や資質、家族の都合や本人の意向に応じ、個々のキャリア形成の要請には柔軟に対応してくれます。

私はそれまでにもコンサルタントとして働くかたわら、面接や内定者フォロー、インターンの指導や社内トレーニングの講師を積極的に務めていました。それらの活動に関しては、私自身がやりがいを感じていただけではなく、インターン生やトレーニングを受けた新人コンサルタントからも、高い評価をもらっていました。

マッキンゼーで人材関連の職種に就きたいと考えた私は、自ら職務内容や権限、責務、活動範囲を設計して〝Job description〟を書き上げ、それまでに得ていたフィードバックのデータも添えて、「自分にはコンサルタントよりも、この分野の専門職に適性があること、海外オフィスには、すでにそういった役職に就いている元コンサルタントがいること、オフィス規模からみて、日本支社でもこのタイミングで専任の人材関連マネジャーのポジションをつくる意義があること」などを、パートナー（経営者グループ）会議で説明し、提案しました。

事前に親しいパートナーに相談を始めた時には、「もう少し慎重に考えるべき」と何度も諭されました。コンサルタントがすべての決定権をもつ組織において、サポート部門に移ること の意味をよく考えるべき、というわけです。たしかにマッキンゼーに入る前の私であれば、こんな、世間から見てキャリアダウンに見える職種転換には躊躇したでしょうし、ましてや自分から提案するなどあり得なかったと思います。けれどマッキンゼーという組織が私に、「自分の頭で考えて決断する」ことの意味を教えてくれていたのです。年収が大幅に下がることはもちろん、パートナーを目指す道から外れることの意味について、繰り返し、そして慎重に考えたうえで出した結論であり、迷いはありませんでした。

当時の日本支社では、研修や採用担当のマネジャーが募集されていたわけではありません。私自身が経営者グループに対して、新しいポジションの創設を提案し、「そのポジションに私を雇うべきだ」と説得したのです。そして当時のパートナーらがこの提案を認めてくれたおかげで、私のマッキンゼーにおける第二のキャリアが始まったのです。

第1章

誤解される採用基準

人気の高まりと誤解の拡大

二〇〇〇年以降、就職市場における外資系コンサルティングファームの人気は急速に高まり、一部の大学では日本の一流企業と並ぶ人気となりました。MBAをはじめとするアメリカの大学院でも、自費留学生はもちろん、企業派遣の留学生の中にも、コンサルタントへの転職に関心を示す人が急増しました。

「優秀な先輩ほど外資系企業に就職している」とか、「日本の大企業に勤める父親にマッキンゼーを勧められた」などと語る学生もおり、新卒で外資系企業に就職することが珍しかった私自身の学生時代とは隔世の感がありました。

就職先として人気が高まると、求める人材像が応募者に伝わりにくくなります。「人気があるから」、「みんなが受けるから……」という候補者が増え、「内定を取るのが難しいから挑戦したい」、「採用時期が早いから力試しに受ける」という〝記念受験生〟も急増します。

インターネット上のコミュニティで情報交換をする学生も増え、採用基準や面接方法について、さまざまな誤解がまことしやかに広まることも頭の痛い問題でした。「ケース面接がすべて」と思い込んでいる学生のほか、特定分野の業務経験をもつ人を探していると考える転職希望者、さらには転職エージェントなど人材紹介企業から、「マッキンゼーは東大生を採用したいんですよね」などと誤解されることもしばしばでした。

当時私が、特に問題だと思っていた誤解は次の五つです。

誤解その1：ケース面接に関する誤解
誤解その2：〝地頭信仰〟が招く誤解
誤解その3：分析が得意な人を求めているという誤解
誤解その4：優等生を求めているという誤解
誤解その5：優秀な日本人を求めているという誤解

誤解その1：ケース面接に関する誤解

コンサルティングファームの採用方法に関する最大の誤解は、ケース面接に関するものです。アメリカでは他業界でも似たような面接手法が使われているのですが、日本では「コンサルティングファームといえばケース面接」と言われるくらい、この業界に特徴的な面接手法だと考えられています。

アメリカのビジネススクールでは、大学内の書店でケースの例題集が売られており、模擬面接会ではコンサルタント出身者が講師を務めるなど、その対策も本格的です。最近は日本でも有志による勉強会が開催され、さらには面接対策を提供する営利企業の参入、対策本の出版も相次いでいます。そして業界を志す学生の多くが、大量に氾濫するそれらの情報に振り回されています。

ところがこういった、時間もお金もかかる対策の大半は、なんら役に立たないばかりか、時に負の効果さえ生んでしまっています。ケース面接はたしかに特殊なスタイルの面接なので、それがどんなものかまったく知らずに面接に臨むのは無謀かもしれません。しかしマッキンゼーの採用サイトでは、かなり以前からケース面接の実際のやりとりやモデル例題を公開しており、「ケース面接とはどんなものか」、「どのように臨むべきなのか」ということを知るためには、それらのサイトを事前に見ておくだけで十分です（http://www.mckinsey.com/careers/apply/interview_tips　二〇一二年一〇月現在）。

採用側から見ると、日本の大学生も欧米のビジネススクールの学生も、ケース面接に対して明らかに準備過剰です。そしてそれらの事前対策がそれほど有効でないことは、マッキンゼーに入社している人の中に、「面接の際、ケース問題がうまく解けた！」などと言っている人がほとんど見あたらないことからも明らかです。同社に入社する大半の人は「面接ではケース問題にうまく答えられなかった。それなのになぜか内定が出た」と当時を振り返ります。私自身も面接でいくつものケース問題を出されましたが、どれもまともに解けた記憶がありません。

面接をする側の立場から見ても、ケース問題に答えが出せたかどうかは採用判断にほぼ関係ありません。入社したコンサルタントが、「事前の対策をほとんど行わず、ケース面接のデキもよくなかった」と言う人ばかりである理由は、「ケース面接で見られていることが、ケース問題がうまく解けたかどうか、答えが出せたかどうかではないから」というひとことに尽きます。対策本を熟読し、模擬面接を繰り返すなど多大な時間をかけて対策をする人は、一次面接くらいは乗り切りやすくなっているのかもしれません。だからといって、彼らが最終面接まで残っているわけでも、多く入社しているわけでもないのです。

では、ケース面接では何が見られているのでしょう？

なによりも面接担当者が知りたいのは、「その候補者がどれほど考えることが好きか」、そして「どんな考え方をする人なのか」という点です。考えることが好きな人なら、どんな課題についても熱心に考えようとするでしょう。「考えることが楽しくて楽しくて」という人でないと、毎日何時間も考える仕事に就くのは不可能です。

ところが候補者の中には、さまざまなケース問題の解き方を一生懸命覚えてきて、面接担当者がケースの問いを発するやいなや、頭の中に蓄えた知識から、その問題の解法を取り出そうとする人がいます。

この「頭の中から、解法という知識を取り出すこと」と「考えること」がまったく異なる行為であることを、コンサルタント、すなわち面接担当者は日々、徹底的にたたき込まれていま す。このため、候補者が目の前で「頭の中に保存してある解法を探す」プロセスに入った瞬間に、「この人は、考えるより知識に頼る人だ」と判断してしまうのです。もちろん「まじめに事前準備をする人だ」とは理解されます。けれども同時に、「考えるのはあまり好きではないのかな？」と思われてしまうのです。

いくら候補者が口で「私は考えることが好きです。考える仕事に就きたいのです！」と主張しても、目の前で考えようとしない候補者にそう言われて、それを信じるのは困難です。考える力があると示したいなら、覚えてきた解法を披露するのではなく、面接時間の一時間の中で実際に考えるべきです。ケース問題の準備を万全にしてくる候補者は、この単純な事実に気がついていません。

もうひとつ理解されていないのは、「ケース面接に答えを出すことは、重要ではない」ということです。ケース問題は、応募者の思考方法を具体的に知るための会話の材料として使われているだけで、それ自体に正しい答えを出すことが重要なわけではありません。そもそも大半の面接者は、応募者とのやりとりの中でケースの設定を随時変更しており、正しい答えなど存在しないのです。

ビジネスケースのような仮定の条件をおいて議論をすると、その人の思考プロセスや思考スタイルが如実にわかります。面接者が知りたいのは、「その思考プロセスが正しいか正しくないか」、「よいか悪いか」ではなく、「どんなタイプの思考プロセスをもつ人なのか」ということです。

ケース問題には正しい答えが存在しているという前提で、その答えにたどり着こうと〝答えを探す〟人と、目の前の問題について考えることに集中する人の態度は、まったく異なるものに映ります。そして、覚えてきたケース問題の解法を頭の中から取り出しながら、「これで合っていますか?」とでも聞きたげな表情を見せる候補者は、考える仕事に適性があるようにはとても見えません。ケース問題は「答えを探すゲーム」ではなく、「自分の思考プロセスを展開し、開示するためのツール」にすぎないのです。

さらに心理的な違いもあります。ケース面接の対策をほとんどせずに受けにくるような人は、たいてい自信過剰です。彼らは「マッキンゼーが自分を落とすなんてあり得ない」と考えています。「どうやったらマッキンゼーに選んでもらえるか」などとは考えていません。なかには「マッキンゼーが、はたして自分が選ぶべき価値のある企業かどうか見にきました」といった態度の人さえいます。

一方、長時間にわたるケース面接の対策をしてきた後でさえ、「あの対策で本当に十分だろうか? 自分はうまくできているだろうか?」と不安を隠せない候補者もいます。ほとんどの会社は、この態度の差だけでも、前者を後者より好ましいと思うのではないでしょうか。

実はマッキンゼーに入社する人の大半は、面接時には自信過剰であり、かつ、入社直後にその自信を粉々に打ち砕かれるという経験をします。面接担当者は経験上そのことがよくわかっているので、面接の時に少々、自信過剰な候補者を見ても、それを傲慢だとは思いません。傲慢な態度など、入社後すぐに消えて収まるからです。むしろ過去において、過剰な自信が形成されるほどの実績を上げてきている人のほうが、好ましいとさえ言えるでしょう。

入社している人がことごとく、「ケース対策をほとんどしなかった」、「ケース問題にうまく答えられなかった」と言っている背景にはこういった事情があります。彼らは面接の時間内に必死に考え、きれいな回答にはたどり着かなかったけれど、自分なりの思考プロセスを面接者の前であれこれと試してみたのです。そしてその思考プロセスに適性を認められたからこそ、入社という結果につながったのです。

誤解その2：〝地頭信仰〟が招く誤解

地頭というのも誤解を呼びがちな概念です。最近は〝地頭信仰〟とでも言いたくなるほど、この言葉は過大に取りざたされており、あたかも当然のように「外資系コンサルティングファームは、地頭のよい学生を求めているんですよね」と聞かれます。

たしかに地頭は悪いよりはよいほうがいいでしょう。しかし地頭信仰の最大の不毛さは、「頭さえよければコンサルティングファームに入ることができる」という誤解を生んでしまっていることです。

コンサルティング業務の根幹は、企業経営者向けのサービス業です。企業を率いる経営者の

方から相談を受け、その解決を支援するのが仕事です。それは、
①経営課題の相談を受ける
②問題の解決方法を見つける
③問題を解決する
の三つのプロセスに分かれます。

このうち地頭が関係するのは②の「問題の解決方法を見つける」ところだけです。①や③も、②と同等以上に重要なのですが、地頭信仰に毒されてしまうとそれが見えなくなります。

たとえば最初の「経営課題の相談を受ける」部分。ごく普通に考えればわかることですが、企業のトップ、もしくはそれに近いところで経営を率いる人が、自社の経営課題を誰にでもあけすけに打ち明けたりするでしょうか。

それは時に重要な機密事項を含み、ライバル企業に知られると致命傷になりかねない情報です。また、経営課題を他者に相談すること自体が、経営者として他者に弱さを見せることにもつながります。どんな経営者でも、誰かれかまわず経営課題に関して相談をもちかけたりはしません。合併や事業撤退などの判断については、直属の部下や役員仲間への相談さえ躊躇され

ることもあるでしょう。

経営者が、経営上の重要課題について相談をするのは、「問題を解く能力がある人なら誰でも」ではないのです。そういった相談を受けるためには、お互いの間に深い信頼関係が成り立っていることが不可欠です。ライバル会社ではなく、自社のみにコミットしてくれているはず、という信頼感、個人として弱みを見せてもよいと思える包容力、最終的に結果を出してくれると信じられるリーダーシップなど、さまざまな資質が必要です。それらに必要なものが地頭などでないことは、誰の目にも明らかでしょう。

コンサルタントは、ベルトコンベアで運ばれてきた経営課題を、修理してまたベルトコンベアに乗せるような仕事ではありません。解くべき課題は「誰かが目の前に運んできてくれる」のではなく、自分が経営者の方に信頼されて、初めて打ち明けてもらえるものなのです。

さらに後工程も重要です。「問題の解が見つけられること」と、「問題が解決できること」はまったく次元が異なります。「こうやれば問題を解決できる」とわかっても、その実施のためには、組織の仲間に痛みを強いたり、外部企業との微妙な提携交渉をうまく乗り切ったり、経営者自身にも、今までに経験したことのない領域に足を踏み出してもらうなど、さまざまな支援が必要です。

それらの工程を統括し、困難にぶつかりつつも着実に前進するために必要な力も、地頭のよさとは無関係です。人や組織に関する深い洞察や感受性、強靱な精神力や未知のものに対する楽観的な姿勢（ポジティブシンキング）、粘り強さ、リーダーシップなど、求められる資質は多岐にわたるのです。

ところが地頭信仰に毒された候補者は、面接の際、自分の頭のよさを面接担当者にアピールすることに必死になります。自分が今までの仕事でいかに評価されてきたか、どれほど優秀な人材であるかを滔々《とうとう》と語る候補者は、そんな自分が相手からどう見えているか、まったく意識していません。顧客である経営者は、自分がいかに優秀かを延々と語り続ける人を、「信頼できる相談相手だ」と思ってくれるでしょうか。自らが抱える機密情報を共有し、経営上の悩みを打ち明けたいと思うでしょうか。組織の中の反対勢力とも理解し合い、痛みを伴う改革を率先して進めてくれる頼れる仲間だと考えてくれるでしょうか。

面接担当者との会話の中で、相手の表情の変化さえ読もうとせず、ひたすらに自分が考える正しい答えを朗々と披露する人は、コンサルティング業がサービス業だということを理解していません。自分が話していることを、今、相手がどう感じているのか、退屈だと思われていないか、的外れなことになってはいないか、理解されているのかいないのか、そういったことに鈍感では、地頭がよくてもこの仕事はできないのです。

面接で見られているのは、「この候補者は、目の前に経営問題が運ばれてくれば、解を見つけ出す地頭のよさがあるか」ということだけではありません。見られているのは、その候補者が将来、経営者に信頼され、さまざまな相談をもちかけられるコンサルタントになれるかどうかです。

百戦錬磨の経営者の方から評価を得るには、事業に携わる多数の人たちを巻き込み、現場の細かな問題をひとつずつ解決していく地道な努力が必要です。地頭の質を過大に重視する傾向は、コンサルティングが人間相手のサービス業であるということへの理解不足から発生しているのでしょう。頭がいいことは有用ですが、それだけで仕事ができるわけではないことは、他の業界もコンサルティング業界もまったく同じなのです。


さらに、地頭と関連してもうひとつ誤解されているのが、「考える力」もしくは「思考力」についてです。思考力のことを「思考スキル」だと思っている人がいますが、思考力とはスキルだけのことを指すわけではありません。**図表1**にあるように、高い思考力をもつためには、思考意欲や思考体力も必要です。しかも、思考スキルは入社後にトレーニングを受けて習得することが可能であるため、面接時にその有無を確認する必要はありません。「この人なら、訓練を受ければできるようになるだろう」と、確認できればいいだけです。

しかし思考意欲や思考体力は、一朝一夕に身につくものではなく、面接時によく見極める必

図表1　高い思考力に必要なもの

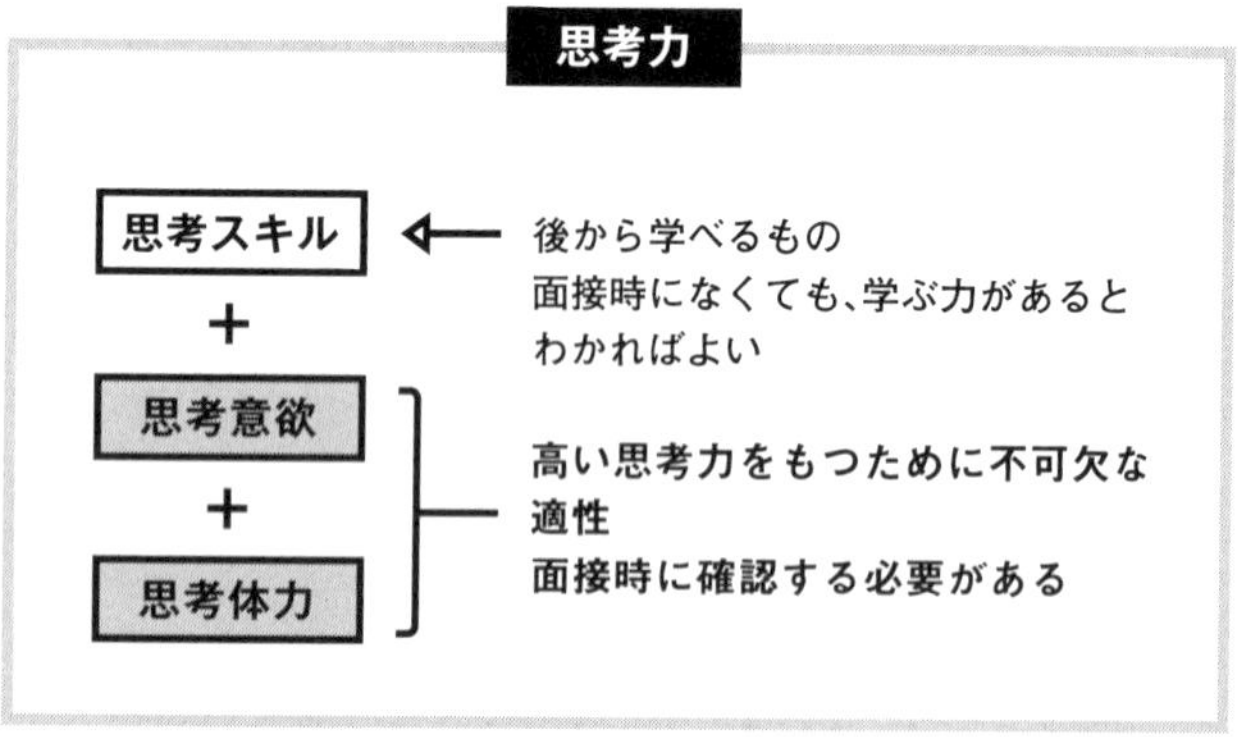

要があります。すなわち、面接時に見られている思考力とは、MECEやロジックツリーなど思考スキルを使いこなせているかどうかではなく、候補者の「考える意欲」と「考える体力」でもあるのです。
一般的にイメージされる「思考力の高い人」とは、思考スキルの高い人でしょう。しかしコンサルタントに向いているのは「半端でないレベルまで考え尽くすことができる人」です。純粋に考えることが好きで、考えることが楽しく、ヒマさえあれば何かについて考えている、思考意欲の高い人です。
世の中には、たとえさまざまな思考ツールを使いこなせる高い思考スキルをもっていても、考えるのがそこまで好きでない人がいます。何を見ても深く関心をもたず、考えようという意欲があまりわかない人や、考えることが好きだと言いながら、考え始めるとすぐに（考えることに）飽きてしまう人もいます。

考えるという行為は、それなりにエネルギーと時間を消費します。このため思考意欲の低い人は、過去においてもあまり考えてきていません。思考ツールについて学べば、すぐにそれを使いこなせる器用な人もいます。しかしそういう人であっても、思考意欲が低く、過去に自分の周りに起こったことや、何気ない日常で見聞きしたことについて、とりたてて深くは考えてきていない人がたくさんいます。

反対に思考意欲の高い人は、「そんなことを考えて、何の役に立つのか」と思えるようなことを、延々と考えています。必ずしも思考スキルが高くなくとも、考えることが大好きで、時にはひとつの課題について数年がかりで考えているような人もいます。コンサルタントに適性があるのはそういう人なのです。

さらに思考体力も重要です。「考える」という行為は、高いレベルの気力と体力を要します。答えの糸口さえ見つからない難問について何時間も考えれば、誰でも頭が働かなくなるし、時には頭を使わないですむ単純作業をやりたいとさえ感じ始めます。頭をフル稼働し続けるのは、とても疲れることなのです。

コンサルタントのような職業で成功するためには、この思考体力も重要です（実は私自身も思考体力が高くなく、この点でもコンサルタントとしてパートナーを目指すことは難しいと感じました）。マッキンゼーのパートナーの多くは、高い洞察力や先見性など以前に、身体的、そして精神的な思考体力が突出しています。彼らは一〇時間を超える飛行機移動を数日ごとに繰り返しながら、その移動中も含めて、ずっと考えています。

マッキンゼーの採用面接でも、連続して二つ、三つの面接を受け、合計数時間、ぎりぎりと議論を詰められ、疲れきった表情で面接室から出てくる「地頭のよい候補者」がたくさんいます。これまで、そんなに長い時間、集中的に考えるという経験をしたことがないのでしょう。

しかし、たかだか数時間の議論で疲れてしまうような軟《やわ》な思考体力では実用に耐えません。現実の仕事では、高い緊張感の中で何時間も議論を続け、体力的に消耗する飛行機移動を繰り返し、時には十分な睡眠時間を確保することもままならない中で、それでも明晰な思考や判断が可能になるだけの体力が必要なのです。

採用面接において重要なことは、思考スキルの高い人と低い人を見分けることではなく、「ものすごくよく考えてきた人と、あまり考えてきていない人」を見分けることです。思考力の高い人とは、考えることが好きで（＝思考意欲が高く）、かつ、粘り強く考え続ける思考体力があるため、結果として「いくらでも考え続けることができる人」のことを言うのです。そして、そういう人は過去においても、ものすごくいろんなことを深く考えてきています。

極端な例ですが、フレームワークを使い慣れていて、どんなケース問題でもサクサクと答えを出してしまうスマートな人の中にも、日常生活では何ひとつ深く考えたことのない人がおり、そういう人が「思考力が高い」と呼ばれることはないのです。

誤解その3：分析が得意な人を求めているという誤解

「頭がよい」という概念を構成する能力の要素に関しても、誤解があります。「頭のよさ」を構成する要素として、日本では多くの人が、数字の処理能力が高いこと、理解力が高いこと、物事の本質を見極める洞察力が鋭いことなどをイメージします。

たしかにそれらも重要なのですが、実はこれらの要素はすべて、「現状把握や分析をするための能力」です。数字を加工して意味合いを見つけ出し、複雑な書類やさまざまな事実を包括的に理解して「全体として何が起こっているのか」を見極めるのは、現状分析として、問題解決プロセスの前半部分に必要となる能力です。

しかし、コンサルタントが問題を解決するためには、これら前半プロセスに加えて、「では、どうすればよいのか」という、処方箋を書く後半部分が必要です。何が悪いのか、ということだけがわかっても、解決策にはなりません。

現状分析能力があっても処方箋を書く能力がないと、現状というコインを裏返しただけの解決策しかでてきません。たとえば、「海外製品に比べて価格が高いから売れていません」（現状分析）→「ではさらにコストを削減し、原価を下げましょう」といった具合です。これでは解になっていません。

そうではなく、コストの高い日本で利益を出せるほど、高い付加価値が得られるビジネスとは、どのようなビジネスなのかということを考え、これまでには存在しなかった、儲ける仕組みを新たに設計して提示することなどが、処方箋として必要になります。

そのためには、深く掘り下げるという現状分析作業とは反対方向の思考である、「今は存在しない世界」をゼロからイメージして組み上げていく思考が求められます。ラジオを分解してその内部構造を理解する能力に加えて、バラバラに散らばった部品や材料を見ながら「これらを使って、何か価値のあるものがつくれないだろうか」と考える力が必要なのです。

マッキンゼーでも、分析が得意で理解力が高く、洞察が深いだけでは「頭がよい（intelligent, smart）」とは呼ばれません。最もインテリジェントだと思われているのは、処方箋を書くための、構築型の能力がある人です。

構築型の能力とは、「独自性があり、実現した時のインパクトが極めて大きな仮説を立てる能力」（仮説構築力）であり、「ゼロから、新しい提案の全体像を描く構想力や設計力」です。

私は日本人にこういった能力をもつ人が少ないと言っているわけではありません。日本ではこういった能力が、「頭がいい」ことをイメージさせる要素として認識されていないと言っているのです。

より正確に言えば、日本でそれらの能力が高く評価されているのは、アカデミックな世界だけです。たとえば、日本にも多数存在する、理系分野で世界的に評価されている研究者の方は、すぐれた仮説構築力をもっているからこそ、卓越した成果が出せているはずです。研究者にとってユニークな仮説をつくる能力が決定的に重要であることは、多くの人が理解しているでしょう。しかし日本では、「ビジネスパーソンにも、優れた仮説構築力が極めて重要だ」ということが、理解されていないのです。

設計力や構想力も同じです。政治や経済の現状について、「ここがよくない、あそこが悪い」と指摘したり、「なぜうまく回らないのか」と分析することは難しくありません。しかし、「ではどうすればよいのか」、「全体としてどのような仕組みをつくり上げれば解決できるのか」、包括的に提示することは容易なことではありません。

アカデミックな世界だけでなくビジネスの世界でも、問題の指摘や問題が起こるメカニズムの現状把握に加え、「あるべき姿の提示」や「新しい仕組みの設計」を行う能力が求められているのです。

仮説構築力や構想力など〝掘り下げる〟のではなく〝組み上げる〟という方向の統合型・設計型能力がコンサルタントに不可欠であることも、あまり理解されていないことのひとつだと思います。

誤解その4：優等生を求めているという誤解

「マッキンゼーは、なんでもできる万能人材を求めている」と思われていることも誤解です。日本社会は平均的にレベルが高いことを重視します。優等生とは、数学も国語も英語も社会も理科もできる人、もしくは、数的処理能力もコミュニケーション能力も洞察力も文章力も全部一定レベル以上の、バランス型の人材のことです。

実はマッキンゼーでは、バランスが崩れていてもよいので、何かの点において突出して高い能力をもっている人が高く評価されます。ある一点において卓越したレベルにある人を「スパイク型人材」と称し、採用時も入社後も「彼・彼女のスパイクは何か」という視点で人材を評価しているのです（**図表2参照**）。

スパイク型人材は、難局においてリーダーシップを発揮する際に、とても有利です。困難な条件下で組織を率いるリーダーはしばしば、「この難局を、何で勝負して乗り切るのか」と問

図表２　スパイク型人材

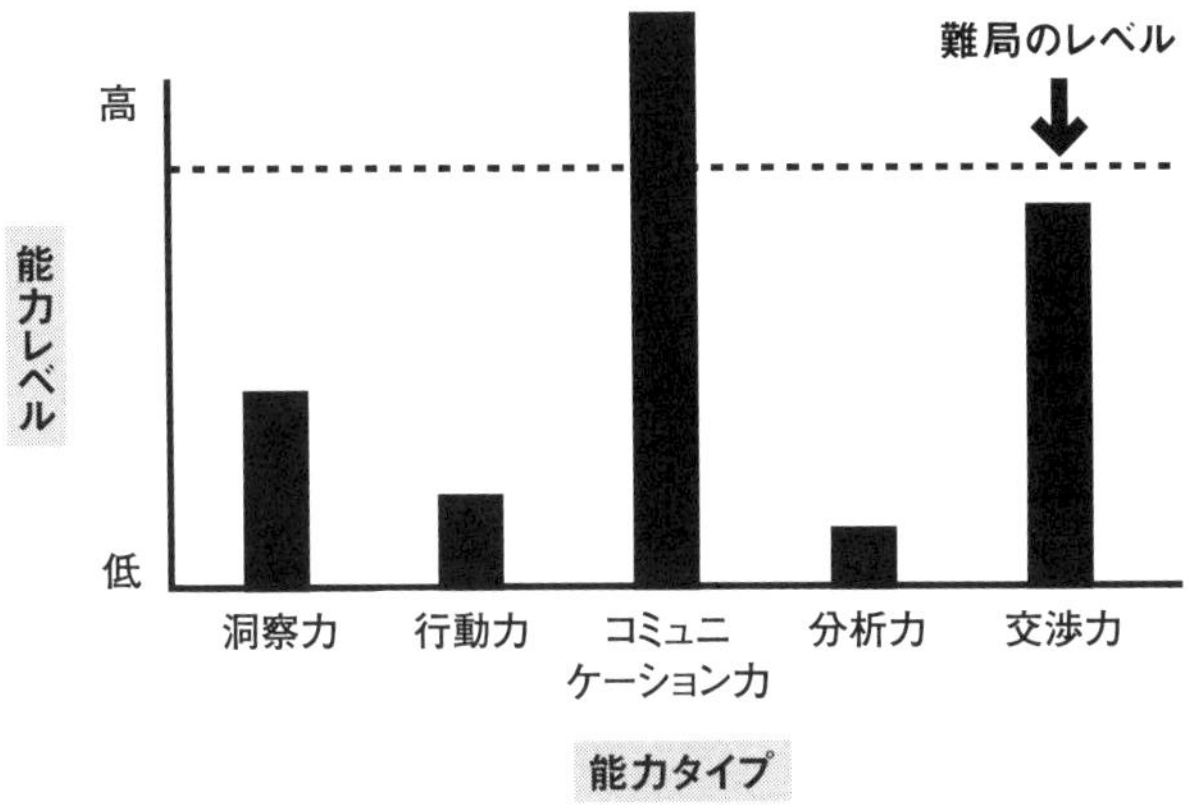

われるからです。危機の時、ここぞという時に使える自分の勝負球や自分独自の勝ちパターンをもっていれば、それで難局を乗り切れます。
一方「なんでもそつなくこなせる」平均点の高い優等生型人材は、一定以上の難局を乗り切るための術をもっていません（**図表３**参照）。
ふたつの図を比べてみてください。この図を見れば、「どんなに大変な状況におちいっても、ここにもち込めば必ず勝てる」というスパイクがあってこそ、難局を乗り切ることが可能なのだと、よくわかると思います。
ただしスパイク型の人材は、一人で仕事をすると必ずしもうまくいきません。あれこれ

図表 **3**　優等生型人材

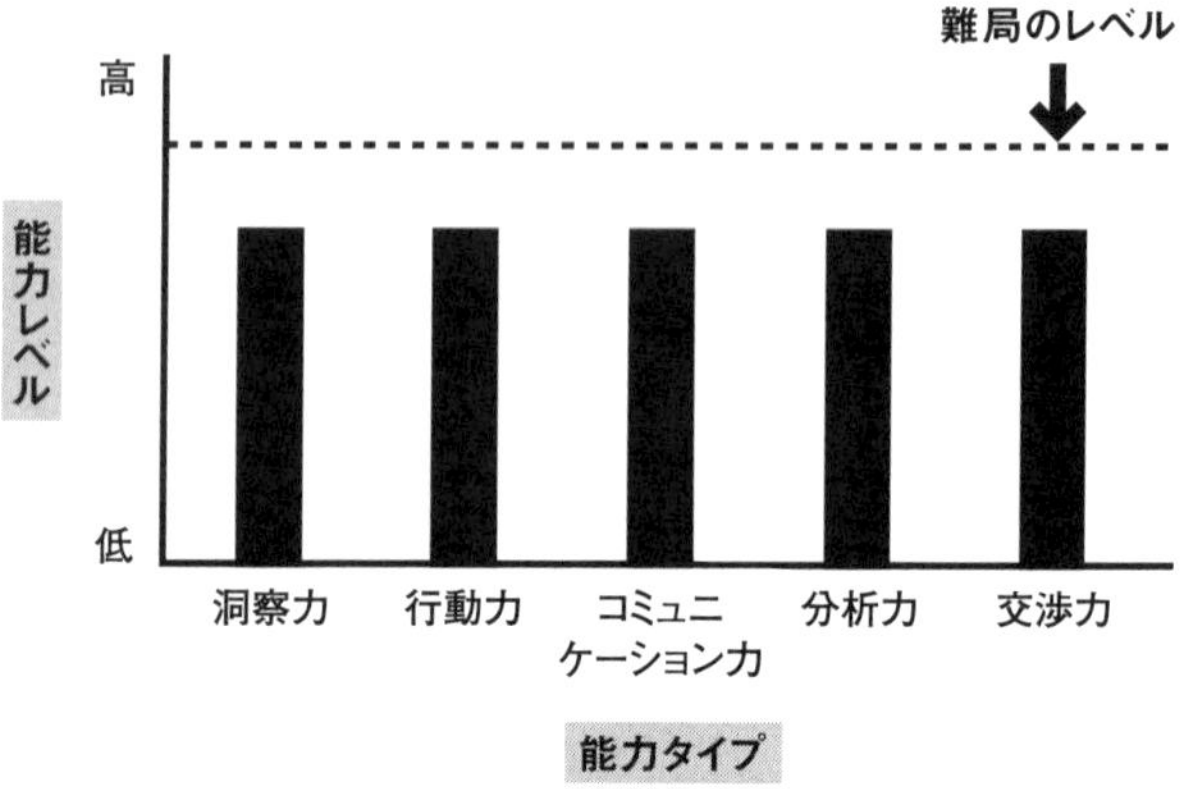

と足りない能力が存在するからです。しかしチームで成果を出せばよいのなら、それらの点については他のメンバーが補えばよいのです。経営者の場合も、誰にも負けない切り札さえもっていれば、自分の至らない他の部分については、有能な部下を雇えばよいだけです。
しかし日本社会では、スパイク型の人材はあまり高く評価されません。バランスが悪く、組織の中で問題児になったり、足手まといになると思われがちです。
ただこの点に関しても、アカデミックな世界だけは日本でもスパイク型の人材が評価されています。研究者はごく狭い分野を誰よりも深く極める必要があり、すべての分野について平均的に知識やスキルが求められるわけではありません。専門の研究分野で高い成果を上げている人には、バランス型の優等生ではなく、得意分野に偏りのあるスパイク型の人材が多いはずです。

実はマッキンゼーは世界でも日本でも、博士号をもつ元研究者を積極的にコンサルタントとして採用しているのですが、それは仮説構築力など構築型の能力をもつ人材が多いことと併せ、スパイク型の人材が多いことも、その理由だと思います。

このように「マッキンゼーの求める人材」は、「なんでもできる優秀な人」ではありません。採用しているのは、かなりとんがった、バランスの悪い人であったりするのです。

誤解その5：優秀な日本人を求めているという誤解

マッキンゼーを含め、多くのグローバルなプロフェッショナルファームでは、採用基準のみならず、世界全体で同じ人事制度の下に組織が動いています。

そういった企業の共通の悩みが、グローバル基準を適用した時、日本での採用が極めて難しいという点です。もちろんグローバル基準といっても、形式的に同一基準を適用するわけではありません。ドイツのように博士号を取る人が多い国もあれば、アメリカのように学士で卒業した後に数年働いてからＭＢＡを取得し、その後に本格的な就職活動をする国もあり、先進国の中だけでも雇用慣行や教育制度には違いがあるため、すべてを同一にはできません。

しかし、採用時に求める資質やそのレベルは世界で同一です。入社後は同じ仕組みで評価され、同じ研修を受け、共同チームを組むことも多々あるのに、入社時のレベルが大きく異なっていては、入社後についていけません。したがって採用基準は、大枠ではグローバルに統一されています。

マッキンゼーの場合、それを大きく分ければ、

①リーダーシップがあること
②地頭がいいこと
③英語ができること

の三つです。

このうち、日本の〝優秀な人〟がもっているのは②だけであり、残りのふたつは絶望的に欠けています。

なお先進国にある支社は、現地語ができることも採用条件としていますので、日本支社の場合は次の四つが求められるのですが、この四条件を満たす日本人学生を見つけ出すのが大変な

のです。

①リーダーシップがあること
②地頭がいいこと
③英語ができること
④日本語ができること

その一方、最近では中国をはじめとする海外からの留学生の中に、これらの条件を満たす人が現れ始めています。彼らは母国の高校や一流大学でトップクラスの成績を残し、厳しい選抜を経て留学の機会や奨学金を得て日本に来ています。その多くが卒業前に日本人と一緒に就職活動を行い、マッキンゼーにも応募してきます。

実は、(人口規模の違いもあるのでしょうが)今やこの四条件を満たす人の絶対数が、日本人より中国人のほうに多いのではないかと懸念されるほどの状況なのです。「リーダーシップがあって、頭がよく、英語と日本語ができる人」が日本人学生の中には極めて少ないのに、中国人留学生の中には一定数存在するのです。もちろん彼らは、さらに母語の中国語も使いこなせます。

「マッキンゼーの日本支社は、頭がよくて英語ができる日本人を求めている」というのは大きな誤解です。私は日本人ですから、日本人に頑張ってほしいし、〝優秀な日本人〟を採用したいと思います。しかしマッキンゼーのようなグローバルファームの採用基準から純粋に考えれば、国籍に意味はありません。求めているのは優秀な日本人ではなく、単なる〝優秀な人〟なのです。

これからも日本人の英語力やリーダーシップが高まらなければ（＝日本社会が、そういった人材を育てることを重要だと思わないのであれば）、マッキンゼーに限らず、外資系企業の日本支社が雇う人材が、日本語と英語ができるアジア人ばかりになっても、まったく不思議ではありません。

今や投資銀行でもＩＴ企業でも、欧米のグローバル企業の日本市場担当として、数多くのアジア人マネジャーが働いています。金融やＩＴ産業では言語より数学やＩＴ関連の能力の重要性が高いので、かなり以前からそういう傾向がありました。それが今や、言葉やその国の組織文化を知ることが重要とされるコンサルティング業界でさえ、起こり始めているのです。

同じ理由で、近年は特に京都大学からの採用が難しいと感じます。同等の基礎学力をもつと思われる東京の国立大学、私立大学と比べて、関西でのトップ大学である京都大学に、採用したくなる学生が少ないのです。この理由も英語とリーダーシップのふたつです。もちろん東京の大学でもこれらふたつが弱いために苦労は絶えないのですが、それに比べても京都大学の学生のレベルはさらに厳しい水準です。

私はその原因が、京大生が学生の世界の中だけで生活し、リアルな社会を見る機会が少ないからだろうと考えています。

今、東京の大学生は、さまざまに〝リアルな社会〟とつながり始めています。インターンや講演会、勉強会などで、起業家や社会人の働く現場を目の当たりにする機会の豊富さに関しては、東京は圧倒的です。ネット発のイベントや、グローバルに開催されるイベントも同様です。東京の学生たちはそれらを参加者として見聞きするだけでなく、アルバイトやインターンとしてイベント開催の手伝いをすることで、裏側にある仕組みもリアルに体験し始めています。

それらの経験を通して彼らは、「自分たちは、まだまったく世の中では通用しない」という当たり前の事実を理解します。社会人と一緒に何かをやれば「東京大学を出ています」などということに、ほとんど何の価値もないことが実感としてよくわかるのです。一方、京都大学の学生には、この感覚をもたないまま社会に出てしまう人が多数います。

さらに英語の必要性を感じる機会にも、東京と他のエリアでは大きな格差があります。東京にしか拠点のない外資系企業も多く、そういった企業でインターンを経験した学生は、英語の必要性を強烈に感じとります。その話を聞いた友人にも危機感が伝わります。しかし京都大学では、「英語ができないとマズイ」と真剣に考えている学生は驚くほど少ないのです。

京都大学はすばらしい大学です。世界に誇ることのできる最先端の研究が行われており、自由で自主的な学生生活を送ることができます。私は京都大学が東京の大学と同じになってしまうことを期待しているわけではありません。それぞれの大学が独自の価値を追求することはすばらしいことです。

しかし日本を代表する大学には、ノーベル賞を狙えるようなホームランバッターだけではなく、日本の技術系製造業の経営者となって、世界でのビジネスを率いていけるグローバルリーダーも育成してほしいのです。そういった人材になるためには、広い舞台で多彩な経験を積みながら、英語やリーダーシップを身につけることが（高度な知識や技術を身につけることに加えて）不可欠です。大学がそういった人を育てなければ、いったい誰がそれを育てるのでしょうか。

特に問題なのは、英語力に関してはそれなりに危機感がもたれているのに対して、「リーダーシップの欠如」に関しては問題意識さえ欠落している、という点です。英語教育は遅まきながら、小学校から始めるべきか否かなど諸々の議論があり、英語を社内公用語にする日本企業も現れています。社員の英語研修に補助金を出す企業も少なくありません。

しかし、「リーダーシップを小学校から教えるべきか、中学校から教えればよいか」という議論を聞いたことがあるでしょうか？　社員のリーダーシップ研修を行っている企業はどれほどあるのでしょう？　中学校以来、英語を勉強してきた授業数と、リーダーシップを学んできた授業数を比べてみてください。

外資系企業がグローバルな統一採用基準を適用した時、日本での採用が他国に比べて難しい理由は、ひとつはもちろん英語力です。しかし、さらに深刻な問題は、その重要性自体が認識されていないリーダーシップの欠如のほうです。そして、実はマッキンゼーが求めている人とは、この「リーダーシップ・ポテンシャルをもっている人」にほかならないのです。

Column

東京大学における法学部と経済学部の学生の格差

東京大学の法学部と経済学部の学生のキャリア意識が、ここのところ大きく異なり始めています。

法学部には、官僚になるか、法科大学院に進んで法曹界に入る道を目指している学生がたくさんいます。それらを実現するには、脇目もふらず資格試験の勉強をする必要があるため、いったんそういった道を目指し始めると、学生はそれ以外の世界をまったく見ようとしなくなります。

人によっては大学に入った瞬間から、すなわち高校生の時から、将来は公務員、司法試験を受ける、などと決めており、そういう人たちは大学入学直後からそのための勉強に集中して、それ以外のリアルな社会とのつながりをもとうとしません。

ところが経済学部の学生は、法律職が幅を利かせる官僚の世界の将来性にも懐疑的となり、巨大な金融機関やインフラ系の大企業で働くというキャリアについても疑問をもち始めています。そんな彼らの中では、在学中から外資系企業やIT系ベンチャー企業などでインターンを経験する人が増えています。そこで彼らはリアルな社会と出会い、劇的に意識が変わるのです。

市場ではどんな人材が求められているのか、ビジネスはどう動いているのか、世界はどうつながっているのか、自分には何が必要なのか、彼らはさまざまなことを一気に学び、考えるようになります。前述した「日本で活躍するアジア人リーダー」の存在を知れば、日本でトップの大学に在籍している自分のレベルの低さ、自分がこれから身につけなければならないものの大きさに愕然とします。この危機感が彼らを育てるのです。

よく知られているように、入試時点においては文Iと呼ばれる法学部コースのほうが常に高い成績が求められます。ところが三年生以降に就職活動を通して彼らに会った時、少なくとも外資系企業の採用担当者の目から見れば、法学部生は経済学部の学生のはるか後ろを歩いているように見えます（全体の傾向の話であって、個別の例外はいくらでも存在します）。

どちらももともとは優秀な若者です。学校にこもって勉強に集中するグループと、リアルな社会と接し始めたグループが、たった数年でここまで大きく変わっていくというのは大変興味深いことであり、また希望のもてることでもあります。

第2章 採用したいのは将来のリーダー

問題解決に不可欠なリーダーシップ

マッキンゼーが求めている人材をひとことで表現すれば、それは「将来、グローバルリーダーとして活躍できる人」と言うべきでしょう。現在はファームのウェブサイトにある採用セクションでも、Global leader という言葉がキーワードとして使われています（http://www.mckinsey.com/careers.aspx 二〇一二年一〇月現在）。「コンサルタントと言えば問題解決スキル」と思われている方には意外かもしれませんが、リーダーシップこそコンサルタントにとって最も重要なスキルです。

今の時代、「これが正しい答えです」と書かれた紙（提案書）に多額のフィーを払う企業は存在しません。顧客の企業価値向上を実現するには、解決策を検討する段階から組織の中に入り込んで現場スタッフの信頼を獲得し、最終的な提案内容についても、さまざまな部署と調整しながら、組織のルーチンに落とし込んでいく必要があります。そしてどんな分野にせよ、既存のやり方を変えるには、強力なリーダーシップが必要とされます。現実に問題を解決するのは、問題解決スキルではなくリーダーシップなのです。

家の外にまで溢れる大量のゴミを溜め込む迷惑な隣人が現れた時、その問題を解決するのに何が必要か、想像してみてください。紙と鉛筆を用意して、解決方法を考えることは可能でしょう。しかし、たとえ完璧な解決策を紙の上に書き出すことができても、問題は何ひとつ進展しません。問題を解決するには、それらの言語化された解決策のステップを、ひとつずつ行動に移していく必要があります。その時に必要になるのがリーダーシップなのです。

どんな場合でも、他者を巻き込んで現状を変えていこうと思えば、必ずリーダーシップが必要になります。世の中には、「どうすればいいのか、みんなわかっているが、誰も何もやろうとしないために、解決できないまま放置されている問題」が溢れています。反対に、「答えさえわかればすぐに解決できるのだが、その答えが見えない」のは、技術的な問題など、人や組織が絡まない問題だけです。自分の言動を変えるのは自分一人でできるけれど、自分以外の人の言動は、リーダーシップなくしては変えられないのです。

最近は学校での〝いじめ〟が大きな問題になっていますが、ここでも、いじめをやめさせよ

う と思えば、学校の中に強力なリーダーシップが必要となります。教師であれ、それを見ていた子供であれ、子供らから話を聞いた親であれ、誰かに強力なリーダーシップがないと、問題は解決できません。そんなところでMECEだのロジックツリーだのと言っていても、なんの役にも立たないでしょう。

なんであれ特定の分野に強い問題意識をもてば、人はどうすればそれを解決できるかと、真剣に考え始めます。昨今の問題解決スキルに対する関心の高まりは、そういった気持ちを多くの人が感じていることの証左とも言えます。

しかしここで理解すべきは、問題を解決するために必要なものが問題解決スキルというよりは、リーダーシップだということです。子供が算数の問題を解く時のように、問題を見ながら答えをノートに書いていくのであれば、必要とされるのは問題解決スキルでしょう。しかし大人が直面する問題は、〝教科書の問い〟ではありません。

マッキンゼーでは、問題解決スキル（Problem solving skills）という言葉と並んで「問題解決リーダーシップ（Problem solving leadership）」という言葉が頻繁に使われます。問題解決スキルとはご存じのとおり、MECEやロジカルシンキング、仮説思考、フレームワークなどの思考テクニックを使って、問題を整理・分析し、解を見つけるための技術です。一方、問題解決リーダーシップとは、解くべき課題（イシュー）の定義から、分析の設計、関連する組織や人とのコミュニケーションを含む一連の問題解決プロセスにおいて、リーダーシップを発揮することです。

これはプロジェクトマネジメントとも異なります。プロジェクトマネジメントという概念には、プロセス管理、予算や人材のリソース管理、進捗管理など、管理業務が重要な要素として含まれています。しかし問題解決リーダーシップとは、プロセスをうまく回すためのスキルではなく、答えの質そのものの向上を追求するためのスキルです。

思考を深められるよう視点を何度も変更してみたり、みんなの発想を刺激するため、思わぬ角度から質問を投げかけてみたり、時にはあえて反論を述べ、参加者の意思や論理構成がどれほど強固なものか、試してみる場合もあります。ヒエラルキーを排した自由な議論を喚起するため、オフィスの会議室ではなく、非日常の遠隔地で合宿しようと提案するなど、問題解決の環境設定に工夫を凝らすこともその一環です。

新人コンサルタントは、個別の問題解決スキルを覚え、使いこなせるようになることはもちろん、問題解決におけるリーダーシップをとることも早くから求められます。

もともとコンサルティングファームでは、問題解決は一人で行うものではなく、チームで行うものです。チームは社内のコンサルタントだけで組成される場合もあれば、顧客企業のメンバーを合わせた混成チームとなる場合もあります。いずれの場合も、問題解決リーダーシップを発揮する人がいないと、チームでの問題解決は進みません。マッキンゼーが「将来、リーダーとなれる人」を採用しようと考える最も重要な理由は、問題解決に必要なものが、リーダーシップだからなのです。

「問題解決スキル」という言葉は、世の中で広く使われるようになりました。しかし今でも「問題解決リーダーシップ」という言葉を、コンサルティング業界以外で聞くことはほとんどありません。実際に問題を解決するために必要なものは、技術（だけ）ではなくリーダーシップなのだという点について、まだ十分に理解されていない、ということなのでしょう。

リーダーシップは全員に必要

マッキンゼーをはじめとする外資系企業の多くでは、すべての社員に高いレベルのリーダーシップを求めます。アメリカの場合は、大学や大学院の入学判定に使われる小論文でも、過去のリーダーシップ体験は常に問われる最重要項目です。

一方日本ではまだ、リーダーシップについて問われる機会はごく限定的で、なかには三〇歳前後になっても「今までに、一度も問われたことがない」という人さえいます。なので、その概念自体がよく理解されていません。

日本人の多くは、「リーダーは、ひとつの組織に一人か二人いればいいもの」と考えています。その他の人はあまり強い主張をせず、リーダーの指示に従って粛々と動くほうが、組織全体としていい結果につながると考えているのです。さらに、リーダーが多すぎると「船頭多くして船山に登る」ということわざに象徴されるようなトラブルが発生すると懸念する人もいます。

このため、「組織においてはごく一部の人がリーダーシップをもっていればいいのに、なぜ外資系企業や欧米の大学では、採用面接や大学入試において、全員にリーダーシップを求めるのか」と不思議がられるのです。同様の趣旨で、「メンバー全員が強いリーダーシップをもっていたら、チーム全体としてはうまく動かないのではないか」といった質問もよく聞かれます。

この質問に対する私の答えは極めてシンプルです。全員がリーダーシップをもつ組織は、一部の人だけがリーダーシップをもつ組織より、圧倒的に高い成果を出しやすいのです。だから学校も企業も、欧米では（もしくは外資系企業では）全員にリーダーシップ体験を求めるのです。もちろんマッキンゼーがリーダーシップを、重要な採用基準と考えているのもそのためです。

そもそも「船頭多くして船山に登る」ということわざにおける船頭を、リーダーだと解釈するのは明らかに間違っています。ここでの船頭とは、ただ単に「自分の主張を押し通そうとする強引な人」であり、たしかにそんな人が多ければチームの成果は出ないでしょう。

船の目的は海にこぎ出し、魚をとること、もしくは目的地までたどり着くことです。もし彼らがリーダーシップをもっていれば、たとえさまざまに異なる自説をもつ人がいても、それらの意見は、「成果達成のために、どの意見が最も役に立つだろうか」という話し合いの中で取捨選択されるはずです。リーダーシップのある人は、「成果を出すこと」を「自説が採用されること」よりも優先します。だから全員にリーダーシップがあれば、船は山には登らず、海に向かうはずなのです。

このことわざの船頭は、リーダーでもなんでもなく、単なる頑固でわがままな人です。このことわざは、「自分の意見を通すことだけにこだわる人が多ければ、組織としての成果は出せない」という、当たり前のことを示しているにすぎません。

本来のリーダーとは、それとは一八〇度異なり、「チームの使命を達成するために、必要なことをやる人」です。プロジェクトリーダーである自分の意見より、ずっと若いメンバーの意見が正しいと考えれば、すぐに自分の意見を捨て、その若者の意見をチームの結論として採用するのがリーダーです。

さらに、「そんな若造の意見を採用するなんて！」と不満をもつメンバーを納得させ、チームをまとめていくのがリーダーシップです。こう考えれば、チーム内にリーダーが複数いることは決してマイナスではありません。むしろ全メンバーがリーダーとしての自覚をもって活動するチームは、「一人がリーダー、その他はみんなフォロアー」というチームより、明らかに高い成果を出すことができます。

というのも、一人だけがリーダーというチームでは、それ以外のフォロアーは、次のいずれかの状況に落ち込んでしまうからです。ひとつは「リーダーの後を素直についていくフォロアーとなること」、もうひとつは、「チーム全体を率いることは自分の役割ではないと割り切り、個人として、できるかぎり高い価値を生み出すことに専念すること」です。

リーダーに忠実なフォロアーは、問題が起こるたびにリーダーの判断を仰ぎにやってきます。いわゆる〝指示待ち〟の人になるのです。複数のフォロアーがそれぞれひとつの判断について聞きにくるだけで、一人しかいないリーダーは、彼らへの指示やアドバイスに多大な時間を費やす必要が出てきます。しかし全員がリーダーとしての自覚をもっていれば、それぞれが直面した問題の多くは、各メンバーによって個別に判断され、処理されます。

また、「自分はこのチームのリーダーではない。一メンバーとして価値ある成果を出す必要はあるが、それをまとめ上げるのは（自分の仕事ではなく）、リーダーの仕事である」と考えているメンバーで構成されるチームと、メンバー全員が「自分もまたこのチームのリーダーである。個別メンバーとして成果を出すことはもちろん、チーム全体の意見をまとめ上げ、チームとしての結束力を高めることもまた、自分の責務である」と感じているチームを比べてみてください。後者のチームのほうが、圧倒的に生産性が高いということが、容易に想像できるはずです（**図表4**参照）。

もちろんチーム内のさまざまな意見を吸い上げてまとめ上げるのは、リーダーに求められる重要な仕事です。しかし、もし全員がリーダーシップをもっていれば、この仕事さえみんなで分担できるのです。何度かこういったチームで仕事をすれば、全員がリーダーシップを発揮するチームの生産性がいかに高いか、骨身にしみて理解できます。こういったチームでは、リーダーが孤立し、一人だけ疲弊するといった、ありがちな問題も起こりません。

もちろんマッキンゼーのチームにも、プロジェクトマネジャーや責任パートナーは存在します。しかしそれらはチーム管理上の役割にすぎません。マネジャーは日々の円滑なチーム運営について目配りすることを期待されているし、責任パートナーは、最終的に顧客企業に対する全責任を負っています。けれどそれは、他のメンバーがフォロアーとして、彼らの指示に従って動くことを意味するわけではないのです。

私がコンサルタントとして働いていた時のことです。海外のパートナーも含め、複数のパートナーが関わるプロジェクトで、私は彼らから寄せられる指示や助言をできる限り尊重しようと（＝最終的な顧客への提言に取り入れようとして）四苦八苦していました。しかしその私の

図表4　1人がリーダーのチームと、
全員がリーダーのチームの違い

**1人のリーダーと
複数のフォロアーのチーム**

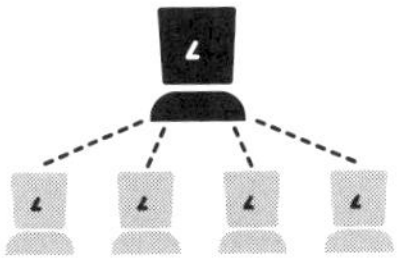

プロジェクト・リーダーが、各メンバーの力量や希望を勘案しながら、担当分野を割り当てる
↓
プロジェクト・リーダーが司会を務め、みんなで議論する
↓
プロジェクト・リーダーが議論を取りまとめ、メンバーはリーダーの指示に沿って、自説を調整する
↓
合意形成後、プロジェクト・リーダーは、反対意見をもっていた人を納得させ、モチベーションが下がらないよう気を配る

**全員がリーダーという
意識をもつチーム**

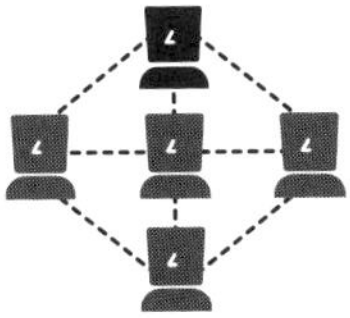

全メンバーがチーム全体の業務量と内容を理解し、どう分担すべきかについて話し合い、個々の担当を決定する
↓
各メンバーが必要に応じて進行方法についても提案しつつ、議論する
↓
全員が「自分が合意形成をリードするのだ」という意識で議論をとりまとめる
↓
合意形成後すぐに、全員が、合意案を実現するため動き始める

態度は、チームにとって有益なものではありませんでした。

毎日、深夜まで働いている私に、ある日一人のパートナーが「まさか、僕たちパートナーが言ったことを、全部やろうとしているわけじゃないだろうね」と言ったのです。最初は、その言葉の真意がわかりませんでした。一生懸命、彼らの意見を取り入れようとしていた自分が馬鹿らしく思えたのが半分、こんなに大変な思いをしているメンバーにそんなことを言うパートナーに対する怒りが半分で、思わず彼の顔をまじまじと凝視してしまいました。

しかし彼の言うことは当然のことでした。私には、自らリーダーシップを発揮して、彼らから寄せられるアドバイスのうちどれを採用し、どれを採用しないか、自分で決めることが求められていたのです。もちろん採用しないと決めた意見に対しては、後から「なぜあの意見を取り入れなかったのか？」と問われるでしょう。しかし、その問いにきちんと返答することができれば、それでよいのです。私に求められているのは、「自分で決め、その結果に伴うリスクを引き受け、その決断の理由をきちんと説明する」ことであって、上司の指示をすべて聞き入れることではなかったのです。

同じことはマネジャーとチームメンバーであるコンサルタントの間でも起こります。マネジャーは、いろいろと指示にも聞こえるようなことを言ってきますが、コンサルタントがその意見を採用するかどうかは、新人も含め、自分自身が判断すべきことです。

マッキンゼーではみんな、「全員がリーダーシップを発揮して問題解決を進める」という前提で、他者に対して遠慮なく自分の意見を伝えます。パートナーは、マネジャーやコンサルタントが、自分の意見どおりに動くことを想定しておらず、だからこそ彼らは自由に意見が言えるのです。

部下が自分の言ったとおりに動くと思えば、上にいる人はよくよく自分の影響力を考えてからでないと、発言ができなくなります。大企業のトップの中には、「自分が先に意見を言うと、みんなが黙ってしまい議論が起こらなくなってしまうし、反対意見も言いにくくなるから、会議では自分の意見は最後まで言わないようにしている」という人も存在します。

けれどマッキンゼーではそんな気遣いは無用です。どんなに強くパートナーが意見を言っても、他のメンバーはそれを上司の指示とは受け取りません。その意見を尊重するべきか否かを、自分で考えて決めようとします。だからこそ、〝上の人〟も自由に自説を主張することができます。ヒエラルキーを議論にもち込まずにすむのは、全員がリーダーシップをもっているからなのです。

ところで、最終的に正式のリーダー職に就くのは一人だとしても、組織の構成員全員が多彩なリーダー体験をもっていることはとても重要です。リーダー体験の乏しい人はメンバーとしても未熟かつ非生産的で、ハイパフォーマンス・チームをつくるための障害になるからです。

全体の方向性に影響を与えない細かいことにこだわったり、現実的でない理想論を振り回す。面倒なことが起こると突然に無関心を装い、いつのまにか自分の役割を離脱している……こういった行動をとるのは、自分がリーダーとして苦労したことのない人ばかりです。

杓子定規な態度を崩さず、「詳細な計画が完成するまでは、何も始めたくない」、「一切の妥協は許すべきでない」、「明文化されない限り、何もやるべきではない」などと言い出す人も同じです。組織を動かして成果を出すことがどれほど大変なことか、実体験として理解していない人がチームにいるのは、極めて非生産的です。

換言すれば、人はリーダー体験を積むことによって、「高い成果を出せるチームのメンバー」になれるのです。もちろん、実際のリーダー体験なくしては、リーダーシップも身につきません。問題が起こった時にどう対応すべきか、組織を束ねるためにはどのようなコミュニケーションが必要なのか、リーダーにはどの程度のプレッシャーがかかるものなのか。そういったことを実体験として理解している人だけでチームを組み、問題解決に当たらせたい。これがマッキンゼーをはじめ、欧米企業や欧米の大学が入試や面接においてすべての人に、過去のリーダーシップ体験を問う理由なのです。

将来のリーダーを採用するという戦略

マッキンゼーは、同社のコンサルタントが退職後に、さまざまな分野でリーダーとして活躍することのメリットを十分に意識したうえで、「将来リーダーとなる人」を採用しています。

入社したコンサルタントのうち、シニアなパートナーとなってファーム内に何十年も残る人の比率は高くはありません。多くの人が、数年から十数年でマッキンゼーを卒業していきます。在職中にリーダーとしての豊富な経験を積んだ彼らが、卒業後に社会のさまざまな分野でリーダーシップを発揮してくれることは、マッキンゼーにとって大きな意味があります。

欧米では、卒業生の多くが企業の経営ポジションに転職します。大企業の経営メンバーのほか、ベンチャーキャピタルやインキュベーションファンドで働いたり、スタートアップ企業で成長期を支える場合もあります。もちろん自ら起業する場合もあれば、ＮＰＯや国際機関で活躍する者も目立ちます。

卒業生が次に働く場所がどこであれ、重要なことは、彼らがそれぞれの場においてリーダーとして活躍することです。それによってマッキンゼーの評判が高まり、より才能豊かな若者が応募してくれ、また、それら卒業生が率いる組織が、直接マッキンゼーの顧客企業となる場合もあります。プロジェクトの情報収集のために、専門家の話を聞きたいとコンサルタントが考えた場合にも、多くの卒業生が快く時間をさいてくれます。

マッキンゼーが「豊かな才能ある人たちをグローバルリーダーに育てたい」と考えるのは、教育機関を目指しているからでもなければ、社会貢献でもありません。一営利企業としてそれが極めて価値の高い、重要な戦略だからです。


マッキンゼーを卒業して企業やNPOのリーダーになる人は、日本でも増えてきています。モバゲーを運営するDeNAを創業した南場智子氏や、食品・食材の通販企業オイシックスを立ち上げた高島宏平氏、NPOのTable for twoを率いる小暮真久氏、高齢化先進国である日本の問題に医師として正面から取り組む武藤真祐氏など、多くの卒業生が多彩な分野でリーダーシップを発揮しています。

実はマッキンゼーの日本支社は、昔も今もそんなに大きな組織ではありません。一九七一年に開設され、現在四〇年余の歴史がありますが、その規模は最大でもコンサルタント数で二〇〇〜三〇〇人程度です。リーダー輩出企業と呼ばれるリクルートの社員数は六〇〇〇人以上ですし、ゴールドマン・サックスの日本支社でさえ約一〇〇〇人の社員がいます。IT業界で多くのリーダーを輩出する日本IBMの社員数は一万人以上でしょう。

一方、これまでマッキンゼーの日本支社に一度でも在籍したことのあるコンサルタントの総数は、せいぜい数百人といったところです。最近はメディアで取り上げられることも多い同社出身のリーダーは、これだけ人数の少ない母集団から出現しているのです。

スクリーニング基準と採用基準の違い

本章の最後に、なぜマッキンゼーがリーダーシップ・ポテンシャルの高い人ではなく、ただ地頭のよい人を求めているように見えるのか、という点について書いておきます。これは、「求めているのはリーダーであって、頭のいい人ではないと言いながら、採用時には出身大学名を重視しているではないか。それは頭のいい人を求めているからではないのか。学歴偏重ではないか」という質問への回答でもあります。

当然ですが、一定の学力はコンサルタントにも必要です。しかし、その学力に関する効果的な情報が、日本では大学名くらいしかありません。

アメリカでは、大学（大学院）入学時に受ける統一テスト（SAT やGMAT、LSATなど）の点数や、大学での成績（GPA）が学力を表す指標として広く使われています。中国でも大学名に加え、GPAやTOEFLのスコアで、学力、英語力が判定されます。日本でもセンター試験の科目別スコアやGPA、大学院入試の統一試験がつくられ、学力基準として使用できるようになれば、大学名ではなくそういった基準で学力を判定する企業が増えるでしょう。

またアメリカでは履歴書審査時にも必ず、どこでどのようなリーダーシップを発揮してきたかという実績が確認されます。しかし日本ではリーダーシップの概念やその重要性が一般に理解されていないため、履歴書上の記載をもって候補者のリーダーシップの有無を判定することが、今はまだ困難です。

経済学部の学生なら、さまざまな活動に参加して「これだけのリーダーシップ体験を積みました！」とアピールできるでしょうが、研究に集中する理系の大学院生には、そういった余裕がありません。後輩の研究指導をし、学会活動を行う彼らのリーダー体験が少ないわけではないのですが、彼ら自身がそれをリーダーシップだと認識していないことも多く、履歴書上ではまったくアピールされていません。

このように、日本ではリーダーシップを基準として履歴書審査を行うことが難しいため、大学名に偏った選考が行われているという印象を与えてしまっているのです。

いわゆる偏差値の高い大学以外にも、基礎的な学力はもちろん、卓越したリーダーシップや特筆すべき才能や個性を有する人材が存在することは、疑う余地もありません。どの企業も同じだと思いますが、私たちもそういった逸材を探し出そうと懸命に努力していたし、詳細は書けませんが、さまざまな工夫や試みはすでに始まっています。

一般的な採用基準に関して理解すべきは、「スクリーニングの基準と採用の基準は異なる」ということです。どの企業も、最初に応募者を面接可能人数まで絞り、その次に面接で採用可否を判断します。人気が高い企業では最初のプロセスの倍率が極端に高くなるため、システム上での振り分けに適した要素が、スクリーニング基準として使われます。しかしそこで使われた基準が、採用基準として重要であるとは限りません。

いま現在、卒業大学名はスクリーニング基準としては使いやすい要素ですが、そんな項目を採用基準として重視する企業が多いとは思えません。反対に、リーダーシップ・ポテンシャルの有無は重要な採用基準ではあるけれど、スクリーニング基準としては不適切であるため、採用基準として重視されていることが外部から見えにくいのです。

ただし、将来的にはSNSの普及やビッグデータの解析によって、候補者のリーダーシップ体験をネット上の情報で審査できる時代がやってくるかもしれません。そうなれば、今の学歴情報と同等、もしくはそれ以上に、リーダーシップ体験の有無や個々のリーダーシップ・スタイルが、履歴書審査上の重要要素となってくることでしょう。

Column

保守的な大企業で劣化する人

外資系コンサルティングファームの採用に関して、「新卒で入社すべきか、それとも最初に日本企業に入って実務経験を積み、留学後に転職して入るべきか」という質問をよく受けます。

たしかに日本の大企業の多くは、社員の大半を新卒学生として採用しており、中途採用者は（以前に比べれば増えてはいますが）まだ主要な採用方法ではありません。一方、外資系企業の多くは、積極的に中途採用をしています。しかし、だからといって「外資系企業は後からでも入社できる」と考えるのは拙速です。採用マネジャーとして応募者に会っていると、「この人が新卒の時に受けにきていたら内定が出せたかもしれないけれど、中途採用として受けにきている今のタイミングでは、採用は難しい」と感じることもよくありました。

特に深刻な問題は、学生の頃には自由かつ大胆に思考できていた人が、保守的な大企業で最初の職業訓練を受け、仕事のスピードや成果へのこだわり、ヒエラルキーにとらわれずに自己主張をすることや、柔軟にゼロから思考する姿勢を失ってしまう場合があることです。

社会人としての最初の訓練を受ける場所の影響は絶大で、一定の行動様式をすり込まれてしまうと、後から矯正することは容易ではありません。しかもひとつしか職場を知らない本人は、問題意識さえもっておらず、面接において自分が「立派な社会人」ではなく、「極めて保守的な組織の構成員」に見えていることにも気がつきません。

たとえば、日本の大企業で育った人は礼儀作法が行き届いています。冬には、受付が見える場所に来る前にコートを脱ぐし、面接室では立ったまま、面接担当者が来るのを待っている候補者もいます。名刺交換の際、いくら気をつけていてもこちらの名刺より下から自分の名刺を滑り込ませてくる技には感心させられます。

しかしこういった「目上の人に対して、どう振る舞うべきか」をたたき込まれている人の中には、「上司の意見には反論せずに従うべき」とか、「立場を考えて発言すべき」などという（その企業の）常識も併せて身につけてしまっている人がおり、礼儀だけではなく議論にもヒエラルキーをもち込みがちです。

そうなると面接で議論をしていても、面接担当者の意見を否定することができなかったり、相手が望む答えを探ろうとするなど、ヒエラルキーを排してトコトン議論することが求められる仕事には、適性がなくなってしまいます。

また大企業では、黒字部門の利益で赤字部門を維持することができるため、社会人になってからずっと赤字部門で働いているという人もいます。そんな中で、「利益を出すこと=コスト削減をすること」などという斜陽産業における常識を身につけてしまうと、急成長する事業分野や新興国でのビジネス展開を率いるリーダーになることは困難です。公務員組織で育てられた人の中にも、前例のないこと、法律で禁止されていることに関しては、完全に思考停止となってしまい、何ひとつ考えられなくなってしまう人もいます。

もちろんマッキンゼーにも、保守的な大企業から中途採用で入社する人はたくさんいます。しかし彼らは、たまたま伸び盛りの事業部門に配属されていたり、直属の上司が個人的にヒエラルキーを排して優れたリーダーシップを発揮していたりと、偶然の幸運に恵まれたというケースも多いのです。私の場合も、入社直後に証券業界がバブル期に突入し、新人も含め、想定の何倍も大きな規模の仕事を手がける機会に恵まれたことが、成長の源泉となりました。

しかし一般的には、辞令によって配属が決定され、「石の上にも三年」などと言って、実力にかかわらずすべての新人に下積みを求める組織では、成長の可能性とスピードは運と偶然に大きく依存してしまいます。

「優秀な学生だったのに、こうなってしまうと採用は難しい」と感じられる候補者に会うのはつらいことです。これから社会人になる人は、世界から見て周回遅れの常識やスピード感を、社会人としての基礎をつくるべき最初の数年間に身につけてしまうリスクも、決して甘く見ないほうがいいでしょう。

第3章 さまざまな概念と混同されるリーダーシップ

成果主義とリーダーシップ

リーダーシップという概念ほど、欧米と日本での理解のされ方が異なる概念も珍しいでしょう。欧米の企業や大学の大半は、リーダーシップを社員や学生がもつべき最も重要な資質のひとつと考えています。それに対して日本では、リーダーシップをネガティブなイメージでとらえ、「自分の意見ばかり主張する強引な人」、「他人に指示ばかりして、自分は手を動かさない人」などと、解釈されることさえあります。そのあまりの違いから、日本には文化的にリーダーシップという概念がそぐわないのではないかと思わされるほどです。

リーダーシップという概念がここまで理解されていない背景には、日本では社会において、さらに言えばビジネスの現場においてさえ「成果が最優先されない場合が多い」ことが挙げられます。実はリーダーシップを考える時、常にセットで考える必要があるのが「成果主義」なのです。成果主義とは、「努力でもプロセスでもなく、結果を問う」という考えであり、成果主義を原則とする環境でなければ、リーダーシップは必要とされません。

たとえば、町内会のグループでお祭りの出し物を企画することになったとしましょう。どんな出し物をするか、町内のメンバーから意見を募ります。こういった話し合いの際、「できるだけ多額の収益を上げ、それを被災地に寄付する」という成果目標がある場合と、特に成果目標はなく「お祭りだから楽しければよい」という場合では、チームの運営方針は大きく異なります。

できるだけ大きな収益を上げることが成果目標としてメンバー間に共有されていれば、さまざまな案は、「それぞれいくらの収入が得られて、いくらのコストがかかるのか」などの基準で比較・検討されます。すべての案が、成果に照らして評価され、議論されるわけです。

一方、そういった成果目標がなければ、何の出し物をやるかは単純に多数決や場の雰囲気で決めればよいのです。何を楽しいと思うかは人により異なります。五人中四人が焼きそば屋をやりたいと言うなら、残りの一人が異なる意見をもっていても、「みんながそういうなら、焼きそば屋でいこう」という話になるでしょう。

この場合、最後の一人が「自分はどうしてもうどん屋がやりたい」と主張して譲らず、最終的に多数決で決める場合もあれば、少数意見をもつ人が空気を読んで自分の意見を口に出さず、結果として議論も採決もなく、焼きそば屋に決まる場合もあるでしょう。そのいずれの場合でも、リーダーは必要とされません。

しかしもしも「収益を最大化する」という成果目標があれば、たとえメンバーの大半が焼きそば屋に賛成しても、異なる意見をもつメンバーは「本当に焼きそば屋の収益が最も高いのか。うどん屋のほうが儲かるという可能性はないのか。売上とコストを比較してから決めるべきではないか」と問わねばなりません。ほかの人も同じ成果目標を共有しているわけですから、少数派の意見も比較・検討する必要があると理解します。

そうなれば、「では売上とコストの詳細見積もりをつくって比較しよう」とか、「固定費が異なるから、売上については数パターンのシナリオをつくって比較しなければ」など、比較方法について、また、「いつまでにその見積もりをつくるか」、「他の町内会の出店内容について調査する担当は誰にするか」など、意思決定のプロセスや分担についても話し合う必要が出てきます。

こういった議論を一定期間内に終わらせ、町内会としての最終案を決定し、そのうえで、異なる案を支持したメンバーも含めて全員が一致団結して出し物の準備を行うためには、そこにリーダーシップが必要とされるのです。「楽しければよい」状況で求められるのが、せいぜいまとめ役や調整役にすぎないのに対し、成果を達成するためには必ずリーダーシップが必要となります。

成果より和を尊ぶ組織

日本では時にビジネスの現場でさえ、成果より組織の和が優先されることがあります。特に大きな組織には、他部署が決めた方針にはむやみに口を出さない、という暗黙のルールがあります。たとえ失敗してもその部門の人が責任をとるのだから、部外者の自分たちがあれこれ言うのはよくない、と考える人がいるのです。

しかし本来であれば、部署は違っても、その企業全体の売上や利益を最大化するという成果目標は、全社員が共有しているはずです。みんながその目標を共有しており、何よりもその達成を重要だと考え、そのことにこだわっていれば、たとえ他部署の判断であっても、おかしいと思うことには「考え直したほうがいいのでは？」と主張すべきです。

しかし多くの場合は「そんなことをしたら角が立つ」という理由で、他部署の決定には（陰で不満や不安を口にすることはあっても）表だっては反対意見を言わない人がたくさんいます。もちろん、〝空気を読まず〟に他部署の案件に関してもどんどん口出しする人もいます。

他部署の案件だからと黙る人は事なかれ主義であり、後者こそがリーダーシップを発揮しようとする人です。後者が他部署の問題にも口を出す理由は、おせっかいだからでも、空気を読まないからでもありません。その理由は唯一「自分は、この企業の利益の最大化という成果達成のために、誰に命令されなくても、必要なことをやるべき責務がある」と理解しているからです。しかし日本の組織では、こういった人は往々にして「組織の和を乱すおせっかいな人」と見なされ、組織全体から疎まれます。

他部署の判断に口を出さない人たちは、組織の和や組織の秩序を、ビジネス上の利益最大化という成果目標より優先しています。こういった職場では、リーダーは必要とされません。全員が空気を読んで、「他部署のことは他部署の人に任せておこう」という思考停止を選択するからです。問題が起こっていても見て見ないふりをし、衝突が起こりそうになれば全員が少しずつ譲り合って衝突を避けます。

他部署の決定に「なぜそういった決断をしたのか」、「他の選択肢はあり得ないのか」、「他の案のほうが、収益が上がるのではないか」などと議論をもちかけ、それによって成果を向上させようとするならば、そこには、強力なリーダーシップが必要とされます。リーダーシップなくしてそういった発言をすれば、それは単なる他部署への干渉になってしまいます。それでは感情的な対立を引き起こすだけで、成果の向上にはまったくつながりません。

このように、高い成果目標がチームに課された時、初めてリーダーシップは必要とされます。そして、成果が厳しく求められない状況が多いからこそ、日本ではリーダーシップが問われることが少ないのです。成果が達成されてもされなくてもよいのであれば、あえて摩擦を起こし、他部署の意見に強く反対する必要性は誰にも見つけられないでしょう。

ここでいう成果目標とリーダーシップの関係は、営利企業が目指す成果に限定されるものではありません。たとえば日本でも、チームスポーツにおいては常にリーダーの力量や言動が注目されます。これは、競技スポーツにおいては、「勝利する」という成果目標が明確であり、ごく自然に全員に共有されているからです。

また、災害が起こった時に「一人でも多くの人命を助ける」ことも成果目標ですし、平和的ではありませんが「戦争に勝利する」も成果目標です。外交において、「自国の主張を国際社会に認めさせる」も、会計基準の統一において「日本の事情を国際ルールに反映させる」も、重要な成果目標です。こういった明確な目標があり、その達成の難易度が高ければ高いほど、強いリーダーシップが求められます。

日本では、本来、成果目標を問うべき状況であるにもかかわらず、その目標が明確にされないために、みんなが〝和〟を優先し、誰もリーダーシップを発揮しないことがよく起こります。

たとえば、高齢化で悪化する医療保険（健康保険）の収支を改善するため、日本でもジェネリック医薬品の使用比率を上げようという動きがあります。新規開発された効果の高い薬は、最初に開発した製薬会社の特許が切れるまでは高い薬価で販売されます。しかし特許が切れた後は、他の製薬メーカーが同じ成分の薬を格安で製造・供給できるようになります。そういった「成分は同じだが、特許切れ後につくられる薬価の安い薬」は後発薬（ジェネリック医薬品）と呼ばれており、医療現場におけるその使用比率を高めることで、薬剤費、ひいては医療費が抑制できるため、高齢化による医療費の増大が問題になっている日本でも、その普及が求められています。

二〇一二年三月までジェネリック医薬品を使用するためには、医師が薬を出す際に「ジェネリック医薬品を使用してもよい」という処方を書く必要があったのですが、医師のほうには積極的にジェネリック医薬品を勧める動機はありません。その普及からメリットを得られるのは、薬代を払う患者本人と、健康保険の財政負担をする組合や公的機関です。しかも患者に関しては、薬の処方について医師に意見を述べるのは難しいでしょう。

では公的機関はどうかというと、市は、予防接種や健康診断などさまざまな機会に医師会の協力を必要としているため、医師会との関係を悪くしかねない「ジェネリック医薬品の処方の推進」を強く主張しません。本音では健康保険財政を改善してくれるジェネリック医薬品の使用比率を高めたいにもかかわらず、自分ではそれを言いたくないのです。そこで彼らは「ぜひ、県から医師会に、ジェネリック医薬品を使うよう言ってほしい」と考えます。

しかし県もまったく同じ状況です。彼らも県の医師会との関係を壊したくありません。そこで「ジェネリック医薬品を使うよう、国から医師会に言ってほしい」と考えます。与党や国会議員も同じです。選挙の際に医師会のサポートがもらえないのは困るので、「国からは言えないが、国民から強く言ってほしい。そういう世論が盛り上がってほしい」と考えています。

とはいえ、医療保険の収支改善は国民にとっての成果目標ではなく、そんな世論が自然に起こったりはしません。こうしてこの件に関して、誰も表立ってはリーダーシップをとらないという状況が起こるのです（なお二〇一二年四月、医師が不可と明示しない場合、一定の条件下で薬剤師が判断できるよう制度改正が行われました）。

この事例における問題点は、「薬剤費の抑制」という成果目標が誰に問われているのかが、明確にされていないという点にあります。誰にとってもそれが、「自分が達成しなくてはならない成果」であると定義されていないため、市も県も国もみな医師会との摩擦を避けて〝事なかれ〟を選び、他の誰かにやってほしいという〝お上頼み〟の態度をとるのです。

薬剤費抑制という成果より、医師会との良好な関係を維持することを優先し、「自分はやりたくないが、誰かにはぜひやってほしい」と考えるのは、リーダーシップの対極にある考え方です。しかし現在の状況では、みんながそういった態度をとるのは当然でしょう。成果目標が厳しく問われるのでなければ、誰にもリーダーシップを発揮する合理性はありません。わざわざ自分から関連団体との関係を悪化させる必要はないのです。

救命ボートの漕ぎ手を選ぶ

リーダーとはどんな人なのか、定義として言葉では明確にできなくても、日本人もそのことはよくわかっています。「リーダーとは和を尊ぶ人ではなく、成果を出してくれる人だ」と、実はみんな、理解しているのです。たとえば次のような場面を思い浮かべてください。

皆さんが家族連れで、大型客船のクルーズ旅行を楽しんでいたとしましょう。あなたは妻と娘の三人で旅行をしています。ところがある日、嵐が来て高波が起こり船は岩に座礁、沈没の危機に遭遇します。急いで甲板に上がると、数多くの救命ボートが船の横に降ろされ、人々は避難を始めようとしています。

よく見ると、それらの救命ボートにはすでに一人ずつ主な漕ぎ手が乗り込んでいました。あなたは、「どの船に乗ろうか」、そして、「最愛の妻と娘をどの船に乗せようか」と、それぞれのボートに乗っている漕ぎ手の顔を見回しました。この時「このボートに命を託そう！」と考えたボートの漕ぎ手こそが、あなたが最も信頼しているリーダーです。

こういった場合、私たちはどんな基準で漕ぎ手を選ぶでしょう？　それは、普段の仕事でプロジェクトのリーダーに選ぶ人と同じ人でしょうか？　それとも、「こいつと一緒に仕事をしたいとは思わない」という人でも、自分の命がかかった救命ボートの漕ぎ手としてなら、選択することがあり得るでしょうか？

私が、こういった状況で選ばれる漕ぎ手こそ、リーダーとして評価されている人であると考える理由は、この選択には「命がかかっているから」です。誰にとってもこれ以上に明確な成果目標はありません。自分と最愛の家族の命がかかっている、絶対に達成したい成果目標があるのです。

もしも穏やかな湖でのボート遊びの場合であれば、異なる基準で漕ぎ手を選ぶでしょう。「一時間、楽しく時間が過ごせる漕ぎ手を選ぼう」と考えますよね。そうであれば、性格のよい、明るい友人が漕ぎ手を務めるボートに乗るでしょう。口うるさい人、冗談の通じない人、笑わない人などと同じボートには乗りたくありません。

しかし、大海で自分が乗る救命ボートを選ぶ際は、命さえ助けてくれるなら、漕ぎ手の性格が強引で人当たりが悪くても、無口で自分とは合わない性格であっても、私たちはそんなことを気にはしないはずです。

そうではなく、「救助が得られるまで、乗客を無事に生かしてくれる、導いてくれる」という成果が達成できる人かどうか、という点のみを基準に漕ぎ手を選ぶでしょう。海の上を漂流して助けを待つ間には、数多くの状況判断や、乗員の統率が必要になります。時には厳しい判断やリスクをとった決断もできる、真のリーダーを選ばないと命が助かりません。

このように私たちは、命を守るという成果達成のためなら、ほかのことは犠牲にしてもいいと考えます。成果の大枠が達成されるのであれば、細部まですべてが完璧である必要はありません。救助を求めてさまよう間、つらい目にあっても、ひどい口のきき方をされても、命さえ助かればありがたいと思うのです。

なかには、いつもは苦手意識を感じていて、あまり近寄らないようにしていた誰かを、救命ボートの漕ぎ手としてとっさに選んでしまう人もいるはずです。性格が合わない、嫌味で強引な人でも「判断力、決断力について信頼でき、言うべきことを言うのに躊躇せず、やるべきことはリスクをとっても実行する」人のボートに乗りたいと思うからです。

こういった大きな成果がかかっている時、いざという時に選ばれるリーダーとは、成果目標のない時に選ばれる「あいつはいい奴」とか「いつも一生懸命で好感がもてる人」、「一緒にいると楽しい人」、「すべてを完璧に処理してくれるよくできた人」などとはまったく違う概念なのです。

この「リーダーシップと成果主義の関係」が、日本では十分に理解されていません。それがリーダーシップとはどんなものなのか、多くの人が想像しにくい原因となっているのです。

役職（ポジション）とリーダーシップ

日本でリーダーシップのある人というと「野球部のキャプテンをやっていた」とか、「プロジェクトのリーダーを任されている○○さん」など、役職がその代替概念としてよく挙げられます。生徒会長やクラブの部長を務めていた人をリーダーと見なすのも、同じ考え方です。

しかしこれらはすべて役職名であり、リーダーシップの有無を直接的に表すものではありません。もちろん、そういった役職に就けば、否応なくリーダーシップを発揮すべき状況におかれることが多いので、間接的には役職経歴がリーダーシップ体験の多寡を表す場合もあります。しかしそれらは同じ意味ではないのです。

アメリカのビジネススクールでも、就職活動を有利に進めるため、学生クラブには副部長が何人も存在します。金融業界への就職に強いと言われる学校では、ファイナンス関連のクラブがいくつも存在し、それぞれのクラブに複数の co-founder や leader がおり、vice president（副部長）にいたっては、ひとつのクラブに八人も九人もいたりします。履歴書にそういった肩書きを書かないと、一流企業の履歴書審査をパスできないからです。

しかし書類審査はそれで通っても、これらのリーダー体験は面接で詳細に検証されます。役職についていても、リーダーとして特に何もやっていなかったという vice president がたくさんいることを、面接する側がわかっているからです。

年功序列型組織や、組織のまとめ役をもち回りし、その場の雰囲気で団体の理事や会長を選ぶことも多い日本においては、肩書きとリーダーシップにはさらに関係がありません。

ＰＴＡや町内会では、「どなたか次期会長をやってくださる方はありますか？」という前会長の呼びかけに、大半の人が沈黙する中、有力者の名前がちらほらと挙げられ、司会者がそれらの人に「お願いできますか？」と尋ねることで次期会長が決まってしまう、といった場面もよくみられます。そのような場所で推薦されるのは、リーダーシップがある人ではなく、「優等生の親だから」、「町内で一番の長老だから」など、役職にふさわしいと判断された人たちです。この「役職にふさわしい人」という概念がさらに話をややこしくしています。

多くの日本企業では、ある人が課長になった場合、その最大の理由は、「その人が課長になるべき年齢層に達した」ということです。これが「課長という役職にふさわしいと言える第一の理由」です。次の理由は「その人が、課のメンバーとして高い実績を上げた」ということです。高い実績とは営業成績の場合もあるし、技術者としてよい製品を開発した、という場合もあります。しかし、一定の年齢に達したことはもちろん、営業担当や技術者として優秀であったことも、課を率いるリーダーシップを備えていることを意味するわけではありません。

外資系企業の多くでは、「課の一員としてメンバーを率い、高い成果を出した」というリーダーシップの実績なくして課長にはなれません。ところが日本の組織では、「課の一員としてリーダーシップを発揮する」こと自体が期待されていません。リーダーシップを発揮すべきは課長であって、課のメンバーではないからです。

外資系企業にも当然、役職は存在します。しかしリーダーシップは役職にかかわらず全員に求められます。また特定の役職に就くためには、就任前に、それに必要なレベルのリーダーシップが発揮できることを、実績をもって証明する必要があります。

この順番が重要です。「役職が先でリーダーシップが後」なのではなく、必要なリーダーシップをもっていることが証明されて初めて役職に就くのです。たとえばマネジャーに昇格する人は、マネジャーになる前に「マネジャーとしても十分なリーダーシップを、すでに発揮しているから」マネジャーに昇格するのです。

マッキンゼーでも、役職の裏づけがなければリーダーシップを発揮できないような人に、役職が与えられることはありません。役職という権威の裏づけがないと、人を率いることができないのであれば、リーダーシップがあるとは見なされないからです。

これはすべての昇格時に同じです。常に実績が先で、役職は後です。マネジャーとして求められるレベルのリーダーシップを発揮したという実績を示して、初めてマネジャーに昇格することが可能となり、パートナーとして求められるリーダーシップを何度も実証してから、パートナーに選出されるのです。

考えてみてください。課長という役職に就いてから、初めて「課長というポジションにある者がどう振る舞うべきか、課長としてどうリーダーシップを発揮すべきか」を学ぶような課長では、課のメンバーはどれだけの迷惑を被ることでしょう。一番不幸なのは、社長が、社長という役職に就いた後で、「社長が発揮すべきリーダーシップとは何か?」と考えたり、悩んだりするような企業です。こんな企業では高い確率で、リーダー不在の組織ができあがってしまうでしょう。

言うまでもなく、日本の大企業における会長や顧問という役職も、リーダーシップとは無関係です。そもそも彼らの多くは何の成果目標も課されていません。社長が、自分を社長に選んでくれた先輩経営者に贈る謝意としての会長や顧問という肩書きが、リーダーシップという概念と関係があるはずもありません。

マネジャー（管理職）、コーディネーター（調整役）

さらに混乱しがちな概念がマネジャーとリーダーです。マネジャーは管理者です。求められる業務は、部下の労務管理であり、組織内の個々の仕事の進行管理や品質管理、そして予算管理です。

三名の組織ならマネジャーは不要です。管理が不要だからです。しかし三名の組織でも、成果目標があればリーダーは必要です。リーダーシップを発揮する人がいないと、目標は達成できません。一方、構成員の規模（人数）や仕事の領域が一定範囲を超えれば、特に成果が問われる状況ではなくても、管理職は必要となります。

マネジャーが必要なのは、成果を達成するためではなく、組織内の人数が多くなると管理が行き届かなくなるからです。この「管理のために必要な役割」と、「成果達成のために必要な役割」はまったく異なるのです。

このふたつの概念が混乱するのは、多くの組織において、
- 管理職には、管理だけではなくリーダーシップも求められている

・管理職以外には、管理はもちろんリーダーシップも求められない
からです。つまり日本では、管理職というポジションとリーダーシップが、結びつけられて
しまっているのです。
しかも管理職は、

・管理能力
・リーダーシップ
・プレーヤーとしての能力

のすべてを求められているにもかかわらず、管理能力とプレーヤーとしての能力が一定水準に達することで、管理職に就くことがあります。さらには企業内外の管理職研修で教えられることも、「いかにして管理するか」に偏っています。一般的な管理職研修の中身には、法令遵守（compliance）や、部下の評価・管理方法など手続き的な手順（due diligence）に関するものが多く、「リーダーとは何か」、「リーダーに必要なスキルは何か」、「成果を出すためには、困難な状況の中でどのように組織を率いていくべきか」といった、リーダーシップに関するも

のは多くありません。

昇格基準においてもリーダーシップが軽視され、かつ、研修でもその部分が欠落していると なれば、リーダーシップの弱い管理職が大量発生してしまうのも当然です。ところが、日本企業であっても組織の管理職には成果目標が問われます。これが不幸の源です。

リーダーシップのない人に成果目標を与えると、その人は結果を出すために無謀な方法に頼ります。プレーヤーとしての自分の成功体験をメンバーに押しつけたり、根性論や精神論で乗り切ろうとする人もいます。部下や納入業者など、力の弱い者をたたいて成果を上げようとする人も出てくるし、なかには不正な方法に頼る人もでてきます。チームのメンバーにとっては、たまったものではありません。

マネジャー向きの人は、管理に適性があります。リーダーに必要なものはそれとは異なる資質であり、成果を出すために必要な資質です。管理業務の適性や資質があってマネジャーに昇格したのに、成果を出せとプレッシャーをかけられ、リーダーとしての教育も受けられない中で、どうしたらグループを率いて成果が上げられるのかわからず、困惑している管理職も多いことでしょう。

また日本では、調整役もリーダーと間違われています。何か物事を進める時に、利害関係の異なる人が多数存在する場合があります。そんな時にあちこちで話を聞いてきて、利害を調節するために足して二で割るような解決案を提示し、「あちらもここまで譲ったのだから、こちらも一歩下がりましょう」といった交渉を仲介する人が調整役です。こういった人は組織において重宝されるし、もしそういう人が管理職のポジションに就いていれば、話がうまく進むことも多いのでしょう。

しかし、この人は調整役（コーディネーター）ではあるけれど、リーダーではありません。なぜならこの人は、組織としての高い成果よりも、関係者の気持ちや組織の和を優先して行動しているからです。前述したように、リーダーとは「成果目標を達成するために組織を率いる人」です。「成果目標に関しては妥協してもいいので、関係者全員に角が立たないようにする」のは、リーダーシップではないのです。

先ほど日本の管理職は、昇格後は成果を問われ、結果としてリーダーシップも問われると書きましたが、そこで問われるのが（リーダーシップではなく）コーディネーターとしての役割だという場合もあります。成果を出すことよりも組織の和を優先し、「今回はうちの部署が譲ったのだから、次はあっちの部署に譲ってもらおう」式の利害調整を行って、部署間の交渉をうまくまとめるのは、リーダーシップではありません。

調整役の人は、無用な摩擦を起こさず、人当たりがよく、面倒見がよい人です。清濁を併せ呑みながら、問題や摩擦を起こさずに事を片づけることに才があります。しかし彼らは、成果を最大化するという目標を、必ずしも尊重してはいないのです。

雑用係、世話係

日本では時々、雑用係のことをリーダーと呼んでいるのではないかと思うことさえあります。たとえば何かイベントが行われる際、参加者の出欠を事前に確認し、お店を予約し、早めに現場に到着して滞りなくすべてが準備されているか確認します。イベント中は進行がスムーズに進むようあらゆることに目を配り、終了後も最後まで残って片づけを行う、そういう人をリーダーと呼ぶ人がいます。

しかしこれをリーダーと呼ぶなら、その実態はまさに雑用係でしょう。少しいい言葉で言っても、せいぜいお世話係です。

日本ではよく「言い出した奴がやるべき」と言われます。言い出しっぺが雑用を押しつけられるというイメージがあるから、「誰かリーダーシップをとりたい人、とってくれる人はいませんか?」という呼びかけに対して、みんな目を伏せ、他人と視線を合わせないようにし、選ばれないよう無言で祈るのです。

進んで雑用を引き受け、組織のために働くのは尊いことです。しかしそれはリーダーシップとは異なります。成果を出すためには、リーダーは細かいことにクチを出さず、すべてを自分でやろうとしないほうがよい場合も多いのです。リーダーとしてほかにやるべきことがあるのに、物事が万事支障なく回るよう、すべてに目配りをして走り回り、率先して現場の仕事を処理するのは、リーダーシップではありません（メンバーの動機づけのために、そういった行動をとるリーダーシップ・スタイルはあり得ます）。

なぜ日本では、リーダーが雑用係になってしまうのでしょう？　その理由は、日本人が「リーダーは組織に一人いればよい」と考えているからです。「一人のリーダーが、組織運営に必要なことはすべてやるべきだ」と考えているから、リーダーは、本来求められる責務に加え、雑用まですべてを担当させられるのです。

それでも本人がリーダーシップについてよく理解しており、「自分一人で全部を行うのは無理なので、Aさんにこの部分をお願いしてよいですか。Bさんには、こちらを担当していただきたいのです。もちろん問題が起これば、いつでも私に相談に来てください」と、仕事をいろんな人に頼んで、リーダーシップ・グループを組成すれば、本人も雑用ではなくリーダー本来の責務に時間を使うことができます。

しかし、ここでAさんやBさんが、「リーダーは組織に一人でいいはず」と思っていると、この行為は「リーダーに仕事を押しつけられた」と受け止められ、時には、「リーダーのくせに何もしない」などとそしられることさえあります。加えてリーダーとなった本人も「雑用を含め、すべて自分がやるのがリーダーの務め」と勘違いしている場合もあります。

繰り返しますが、リーダーシップは全員に求められるものです。それぞれの人が自分の周りで、できる範囲のリーダーシップをとれば、誰か一人が雑事すべてを担当するというような事態には陥りません。しかし日本人にとっては、全員がリーダーシップを発揮するということ自体が「不思議な概念」なのです。そして、「リーダーが一人決まったのだから、その人がすべてをやるべきだ」という誤った考えが、リーダーを雑用係にしてしまうのです。

命令する人、指示する人

雑用係とは反対に、リーダーとは他者の上に立ってあれこれ命令し、指示をする人だと考える人もいます。命令されることや指示されることを好む人はいませんから、「リーダー＝命令する人」だと解釈した時点で、その人にとって「リーダー」という言葉はネガティブな意味をもってしまいます。

多くの日本人は、坂本龍馬や織田信長、『坂の上の雲』の秋山兄弟など歴史上のリーダーや、外国のリーダーであるオバマ大統領やスティーブ・ジョブズ氏が大好きです。すでにかなり高齢の場合、もしくはすでに歴史となった人であれば、日本人の名経営者に関しても多くの称賛の声を聞くことができます。しかし現在進行形で存在する強いリーダーに関しては、「独裁者」、「ワンマン」など否定的に評価する声が絶えません。

伝記では偉業が称えられるリーダーでも、その人の身近で働いた人にとっては、「極めて独善的な人だった」という場合もよくあります。だからこそ、時代的・空間的に自分から離れた場所にいるリーダーは尊敬や称賛もできるけれど、自分と同じ場所・時代に生きているリーダーは必ずしも好ましい存在ではない、という現象が起こるのです。

この構造も、「リーダーは成果を出すことにこだわる」という原則から説明できます。時代的・空間的に遠いところにいる人からみれば、リーダーが出した成果だけが目に入ります。その成果を出すために、リーダーの周りで苦労した人や、嫌な思いをした名も無き人の情報は伝わりません。成果だけを見れば、リーダーは称賛の対象です。

しかし繰り返しになりますが、リーダーは組織の和よりも成果を出すことを優先します。したがって強力なリーダーは、同じ時代、同じ空間を共有する人にとっては、必ずしも「一緒に働いて楽しい人」ではありません。

もう一度、救命ボートの漕ぎ手としてふさわしい人について考えてみてください。命がかかっている過酷な状況下ですから、漂流中にリーダーはメンバーにあれこれ指示を出すでしょう。言葉遣いが荒くなり、指示の理由や背景を丁寧に説明していられない場合もあるはずです。

たとえ命がかかっている救命ボートの上でさえ、理由の説明もなく命令されたり怒られたりすれば、気分がよくないだろうし、反発する人も出てきます。しかし大多数の人は、理不尽な指示を出されても、「今はこいつだけが頼りだ」と思って指示に従い、リーダーに協力します。

結局のところ、メンバーがリーダーにどこまでついていけるかということは、「その成果を出すことに、それぞれのメンバーがどれほどコミットしているか、成果を出すことを、みんながどれほど重要だと思っているか」にかかっているのです。

救命ボートの例であれば、それは自明です。どのメンバーにとっても成果を出すことは最も重要な目標です。しかし通常の仕事や一般のプロジェクトでは、「成果を達成することがどれほど重要か」という点についてメンバーの同意を得ること自体が、簡単ではありません。

リーダーに対する建設的でない批判の大半は、この「成果にコミットしていない人たち」によってなされます。リーダーが成し遂げたいと考えていること、成し遂げなければならないと考えていることに対して、賛成できない人、自分には関係がないと考える人にとっては、リーダーとは突っ込みどころ満載の強権者です。自分勝手な命令者にしか見えません。

成果を共有できる人とチームを組むこと、もしくは、成果目標を共有できるよう最初の段階でリーダーが尽力することは大切なことです。しかし何より重要なことは、リーダー以外の人も含めて、「リーダーの仕事は、周りの人を楽しくさせることではなく、なんとしても成果を出すことなのだ」と理解することです。日本でリーダーシップをとろうとする人が、周りの協力が得られず孤立したり、批判にさらされたりしがちなのは、このことを、自らのリーダー体験を通して理解している人があまりに少ないからです。だから言葉遣いとか、進め方の是非といった表面的な手続きにばかり、あれこれと文句がつくのです。

救命ボートの漕ぎ手に求められるのは、乗員がみんなで楽しく漂流できるようにすることではありません。何かを決める際、全員の意見をよく聞き、みんなで話し合って決める必要もありません。唯一重要なことは、一人でも多くの人を生きて陸地に帰すことです。

もしかしたら乗客の一部は助からないかもしれません。それでも「一人でも助からないならいっそ全員で死のう」ではなく、「犠牲者は出るかもしれないが、一人でも多くを助けよう」と考えるのがリーダーです。「一人でも犠牲者を出したらリーダー失格だ！」と糾弾する人は、同じボートに乗っていない人であり、自分がボートの漕ぎ手になったことのない人です。このことが理解できない限り、日本において、リーダーシップの真の意味が理解されることはないでしょう。

Column

能力の高い人より、これから伸びる人

外資系コンサルティングファームでは、中途採用者の大半は三〇代前半までに入社します。このため、入社時の力の高低に加え、入社後の成長ポテンシャルの高さも重要です。ところが応募者の中には、それまで在籍していた企業で、成長に頭打ち感が出てきてから何年もたって、そこで初めて転職しようと考える人がいます。これは最も採用が難しいタイプです。

成長の頭打ち感を感じながら働いている人は、その間、チャレンジングな仕事をしてきていません。必死に挑戦しなければ達成できない仕事ではなく、粛々とこなしていればできるレベルの仕事をしてきています。こういう仕事を一定期間以上続けることは、さまざまな形でその人の可能性を減じてしまいます。

人はチャレンジを続けていると、次々と新しいこと、より大きな仕事を手がけることが怖くなくなります。反対に、簡単にできる仕事ばかりやっていると、できないかもしれない仕事が怖くなります。毎日やっていればなんということはない自動車の運転でも、数年ぶりとなれば怖く感じるのと同じです。

また、自分の実力を超えた仕事を任されている人は、「きちんと結果を出すべき重要な仕事」と「時間をかけるべきではないインパクトの低い仕事」を分け、優先順位をつけて取り組まざるを得ません。結果として、限られた仕事時間内においては、重要な仕事だけを手がけています。ところが、粛々とやればできる仕事ばかりをしている人は、大事な仕事もそうでない仕事も、すべて細部まで詰めて仕上げる時間的余裕をもっています。このため、高い視点で仕事の優先順位を見極める必要はなく、すべてにおいて重箱の隅をつつくような作業に没頭しがちです。

このように、全力を出し切らなくてもできる仕事を何年も続けてしまうと、知らず知らずのうちに保守的となり、視点が低くなります。めいっぱい頑張らなくてもできる仕事をしながら高いスピードでの成長を続けるのは、誰にとっても困難なことなのです。

このため、**図表5**のように、面接時点での実力は候補者A氏のほうがB氏より多少上であっても、入社後の成長可能性を考えると、B氏を採用する場合もでてきます。

もちろん、成長できない状態で数年間働いたからといって、一生リカバーができないわけではありません。しかし日本の大組織からマッキンゼーのような組織に転職することに

図表5　応募時の成長ベクトルと採用判断

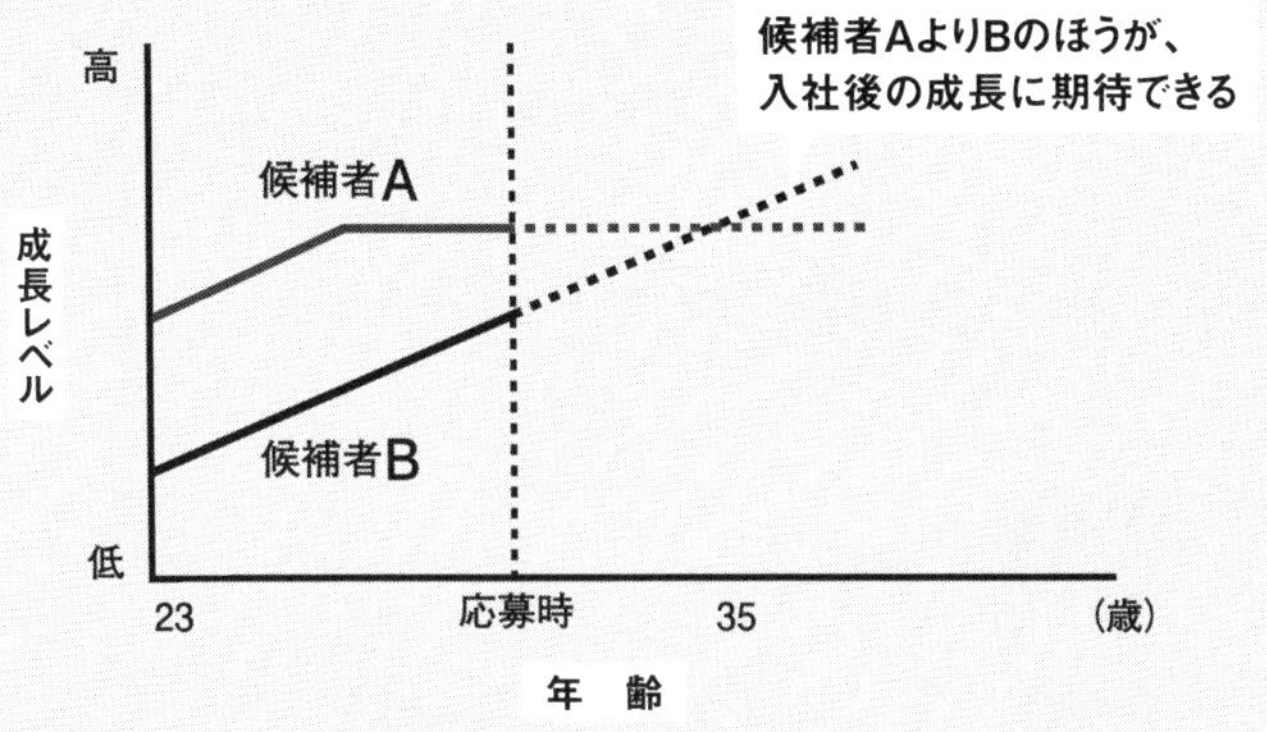

B氏も、この後、自分の成長カーブがフラットになることを予想したからこそ転職を考えたという場合が多い。早めに転職を決意したB氏と、成長できない期間が数年続いてから転職を考えたA氏は、「リスクをとった決断が早めにできるかどうか」という点でも異なっている。

は、サッカー選手が海外チームに移籍するのと似たような環境変化が伴います。入社直後から成果が問われる組織への転職なのです。全速力で走ることができている段階でこそ、新たなものに挑戦すべきでしょう。
面接を担当するコンサルタントは、面接の一時間の中でさえ、候補者がどの程度、成長するかを見極めようとしています。成長スピードの速い候補者は、面接中に聞いた相手の言葉からその場で何らかの学びを得て、次の質問ではすぐにそれを活かして回答を変えてきます。

自分の実力を大きく超える仕事をしている人は、特別な勉強や訓練の機会を待たず、日常の仕事からも貪欲に学びを得ないと、必要なスキルを身につけることができません。このため常に〝学びの臨戦態勢〟を保っているのです。

どこで働く人も、自分の成長スピードが鈍ってきたと感じたら、できるだけ早く働く環境を変えることです。もちろんそれは転職である必要はなく、社内での異動や、働き方、責任分野の変更でも十分です。「ここ数年、成長が止まってしまっている」と自分自身で感じ始めてから数年もの間、同じ環境に甘んじてしまった後に転職活動をしても、よい結果を得るのは難しいということを、よく理解しておきましょう。

第4章 リーダーがなすべき四つのタスク

リーダーとは、成果を達成する人だと書いてきましたが、では成果を出すために、リーダーは具体的には何をする必要があるのでしょう。実は、リーダーがなすべきことは極めてシンプルで、突き詰めれば次の四つの行為に収束します。

その1：目標を掲げる

まずリーダーに求められるのは、チームが目指すべき成果目標を定義することです。そしてその目標は、メンバーを十分に鼓舞できるものである必要があります。

人がつらい環境の中でも歩き続けられるのは、達成すれば十分に報われる目標が見えているからです。その目標、すなわちゴール（到達点）をわかりやすい言葉で定義し、メンバー全員に理解できる形にしたうえで見せる（共有する）のが、リーダーの役割です。

マラソンでも行軍でも、人はゴールがどこにあるか、いつ頃到達できるかが理解できているからこそ、歩み続けることができます。どこに向かっているのかも、いつ終わるのかもわからず、「俺がいいと言うまで何日でも歩き続けろ」と言われて、ひたすら歩き続けるモチベーションを保てる人はいません。「とにかく売上を上げろ、できるだけ利益を上げろ」と連呼するのはそれと同じです。これでは社員はエンドレスの努力を求められていると感じ、達成感も高揚感も得られないまま疲弊してしまいます。

一方で、「この技術で世の中を変える！」とか「五年後にこの業界で世界のトップ3になる！」という言葉は、社員たちに、自分たちが向かうべきゴールが何であるかを明確に示しています。さらにそれらは「つらくても頑張ろう」と思えるに足る魅力的なゴールです。

人間はみんな合理的です（打算的と呼んでもよいでしょう）。求められる努力と、結果として得られるものがバランスしていないと感じれば、努力をしなくなります。だから行く道が厳しければ厳しいほど、「そこに到達することで、自分は大きな高揚感が得られる。多大な苦労は伴うが、ぜひ、到達してみたい」と感じさせることが必要なのです。

カリスマ経営者の多くが、他の人から見れば無謀で、行き過ぎで、あり得ないほど高い目標を口にするのはそのためです。彼らは能力も意欲レベルも異なる人が混在する巨大な組織を率いていきます。突拍子もないくらい高い目標を掲げなければ、何万人もの社員を動機づけ、走らせ続けることはできません。行く道が厳しいとわかっているからこそ、高い目標を掲げるのです。

こういった企業の社員はよく、「うちの社長はいつもむちゃくちゃ高いところに目標を設定する。そのせいで組織が混乱して困る」と愚痴を言いますが、それはリーダーの重要な役割です。愚痴を言っている人たちも、自分がリーダーになった時には、高い目標を設定することの意義を理解するでしょう。

マッキンゼーのコンサルタント時代、遅い夜食を食べている時によく、パートナーの〝壮大な未来論〟を聞かされました。こちらは連日の長時間労働で疲れており、早く帰りたいと思っているのに、延々と「これからこの産業に起こるであろうこと」について語るのです。海外市場で起こっていること、顧客企業の経営者の話などを取り混ぜ、自分たちがコンサルタントとして提供していかなければならない価値は何なのか、熱っぽく語り続けます。みんな話が長いので、やや辟易としながら聞いていたことも多いのですが、これもチームを率いるリーダーとしての重要な仕事だったのでしょう。

コンサルタントの仕事は、時間的にも精神的にも厳しいものです。「顧客企業から多額のフィーがもらえればそれでよい」などという目標設定では、モチベーションを維持できません。だからパートナーたちは頻繁に、極めて青臭く、書生っぽい〝あるべき論〟を若手コンサルタントたちに語りかけてくるのです。

経営者の中には、「自分はカリスマタイプではないから」、「派手なパフォーマンスは好きではない」などの理由で、組織を鼓舞する目標を設定しようとしない人がいます。

たしかに世の中には生まれつきカリスマ性に溢れている人もいますが、大半の人はそんなものはもっていません。それでも組織のメンバーを奮い立たせる目標を設定することは、リーダーの重要な仕事のひとつであり、自分の性格に合わないからやらなくてもよい、という類のものではありません。このことをよく理解している経営者は、たとえ自分に生まれながらのカリスマ性が備わっていなくても、努力と工夫によって「みんなを奮い立たせるゴールを提示しよう」と考えます。

そもそも、簡単に達成できる成果目標しかないのであれば、その集団は最初からリーダーを必要としていません（前述したように、組織の規模が大きければ、管理職は必要です）。普通に活動していれば一年後に達成できる目標しかないのであれば、人や組織を動機づける仕組みもいりません。そうであれば、社長という肩書きをもつ人も、経営者報酬をもらうべき人も不要だということです。

課長や部長など組織の役職に就いていると、組織上部から目標が与えられることがあります。リーダーシップのある人はこういった場合も、フォロアーを動機づけるため、その目標を自分なりの言葉に言い換えます。もしくは、与えられた目標とは別に、より高いゴールを設定することもあります。管理職としては、組織から与えられた業務目標をそのまま部下に伝えれば任務完了かもしれませんが、リーダーにとってはそうではありません。

面接で、過去にその人がどんなゴールを設定したことがあるか、と尋ねることがあります。一度でも自分で目標設定をしたことがあるかどうか、それは十分に高い目標であるか、換言すれば、高いゴールを設定することの意味を理解しているかどうかを聞き出そうとするのです。

「変化に対応する力のある人」を求めるという言い方がありますが、リーダーシップ・ポテンシャルの高い人を求めるという趣旨から言えば、変化への対応力が高い人ではなく、むしろ、「変化を起こす力のある人」が求められます。変わっていく社会に対応する力をもつ人ではなく、社会なり、組織なりを自ら変えられる人という意味です。

対応という言葉には、変化は外部からやってくるもの、という前提があります。しかしリーダーにとって変化は自分が起こすものであって、外からやってきて対処すべき対象ではありません。その人の立つ場所が主体側であるか否かは、決定的に重要です。同様に、目標を誰かから与えられ、それを達成するために働くだけの人はリーダーではありません。リーダーにとって、目標は自分で掲げるものなのです。

その2：先頭を走る

マラソンには「先頭グループ」という概念があります。レース終盤には先頭グループから抜け出した数名がデッドヒートを繰り広げますが、中盤までは、優勝を狙う選手も先頭グループの中にとどまります。体力を温存しながらペース配分をし、ライバルを警戒させないなど戦術的な意味があるのでしょう。

先頭グループはさらに、そのグループの中で先頭を走るランナーと、その後ろを走る人に分かれます。この「先頭グループを率いる、先頭ランナー」は時に、ペースメーカーとして雇われている場合があります。ペースメーカーの使命は自らの優勝や完走ではなく、ある程度の地点まで速いペースを維持して走ることにより、先頭グループ全体の記録を伸ばすことです。

この話からは「先頭を走ることの負担の大きさ」が理解できます。先頭を走るということは、自らの最終的な勝利を犠牲にせざるを得ないほど大変なことなのです。反対に言えば、人の後をついていく、誰かの背中を見ながら走ることは、相対的に非常に楽なことなのです。

ペースメーカーのいないオリンピックのような大会では、トップを走るランナーには「前の人についていく」という選択肢はありません。ペース配分を自ら考えることはもちろん、向かい風であれば一身にその風を受けることになります。

これはマラソンだけの話ではありません。何にせよ、最初の一人となるのは負担が大きく、その立場に自らをおくと決めることは勇気のいることです。二人目なら一人目の結果を見て、「あそこに気をつければいいんだな」とか、「ここが肝心のプロセスだ」と理解することができます。さまざまなトラブルに巻き込まれるのも最初の人です。クライミングにおいて予定したルートの岩場がもろくて崩れてしまうとか、プレゼンテーションにおいて機器の設定が間違っていて動かなかったなどの失敗は、常に最初に起こり、その後はすぐさま改善されます。一人目になることは、必ずしも得な選択ではないのです。

それでも「最初の一人になる」、「先頭に立つ」ことを厭わないのがリーダーです。集団の前で何か新しいアイデアが披露され、「誰かこれにトライしてみたい人はいますか?」と問われた時に、周りの様子をうかがうのではなく、すっと自分の手を挙げて、「私がやりましょう」と声を上げるのがリーダーです。

それは公衆の前に自らをさらし、結果がうまくいかない場合も含めて、そのリスクや責任を引き受ける覚悟があり、結果として恥をかいたり損をする可能性も受け入れる、受容度の高い人です。議論をする時に最初に発言する人、大勢が同じ意見を述べている時に異なる意見を発する人も同じです。

集団として何かに向かい合う際も、副委員長など二番手以下のポジションにいれば、メンバーからの反発や結果責任も、直接には自分のところにやってきません。どんなトラブルもまずは代表者に向けられます。

リーダーというポジションを「目立ちたがり屋がやりたがるポジションだ」と考えている人は、リーダーとして先頭に立ち、苦労した経験がないのでしょう。リーダーは多くの場合、他のメンバーより圧倒的に大きな負担をしょい込んでいます。それでも成果を上げるために、最初の一人になろうとする人がリーダーなのです。

ところで日本では、誰が先頭に立っているのかわからない組織やチームも散見されます。海外企業と共同でプロジェクトを進める場合など、プロジェクトリーダーであると紹介された部長が、キックオフミーティングの席上で最初の挨拶以外は一切発言しない、などという事態に遭遇すると、海外のメンバーはみんな、びっくりしてしまいます。

この、最初の挨拶しかしない部長は、日本語では「このプロジェクトの責任者」と呼ばれており、中にはずっとチームの後ろに控えている人がいます。会議でも部下が交渉し議論するのを注視しているだけです。そして何か問題が起こった時だけ後ろから現れて判断をし、最後の責任を無条件に背負い、最終決裁のハンコを押すのです。

では、このチームがどういった道を進むべきかは、いったい誰が決めているのでしょう?

部下を前に立たせ、後ろでその仕事ぶりを見守っている責任者を、「部下を信頼して仕事を任せ、自律的に育てている」と評価する人がいますが、「何かの時には後ろから神の声が聞こえてきて判断が下される」などという経験を何度かすれば、前にいる部下は常に、後ろにいる責任者の顔色をうかがって仕事をするようになります。

前に出て交渉をしているのは自分なのに、何かを決める際にはいつも「社にもち帰って……」、責任者の意向を確かめなくてはなりません。リーダーというのは先頭を走る人であって、後ろに控えている人ではないのです。先頭を走る人が、一番前で最初に方向性を決めてこそ、メンバーは安心して走ることができるのです。

その3：決める

リーダーとは「決める人」です。検討する人でも考える人でも分析する人でもありません。もちろん、高い分析力や思考力をもっていることは、よりよい決断をするために役立つでしょう。しかし世の中には、高い分析力や思考力をもっていても、何も決めない人がたくさんいます。決めることをできる限り先延ばしし、「情報が足りないから決められない」と言って、とめどなく検討や会議を続ける人がいるのです。こういった人には、リーダーシップはありません。

リーダーとは、たとえ十分な情報が揃っていなくても、たとえ十分な検討を行う時間が足りなくても、決めるべき時に決めることができる人です。議論を打ち切り、決断すべきタイミングはどの時点なのか、判断できる人です。欧米の組織と（さらに言えば中国や韓国の企業と比べても）日本の組織の決断が遅いと言われるのは、この点におけるリーダーシップの差が現れているのだと思います。

当然ですが、情報が完全に揃っていない段階で決断をすることには、リスクが伴います。このリスクをとるのがリーダーの役目なのですが、日本では時に、「リスクを、人ではなく場所に負わせる」というびっくりするような手法が使われます。

たとえば「それはどこで決まったのか」という問いと、「○○会議で決まった」という回答があり得ることは、日本における「決める」という行為の特殊性をよく表しています。

決めたのは場所ではなく、人のはずです。誰かがその会議において決めたはずです。しかし私たちは決めた人をあえて曖昧にするために、「会議で決まった」という言い方をするのです。

決めることができないのは、責任をとるのが怖いからでしょう。決断を下す人には、常に結果責任が問われます。それが怖い人はいつまでも決断を引き延ばします。そして彼らが決断をしない理由（言い訳）もいつも同じです。それは、「十分な検討時間がなかった」と、「必要な情報が揃っていない」のふたつです。

しかし過去のことならともかく、未来のことに関して十分な情報が揃うことはありません。リーダーの役目は過去の情報を整理してまとめることではなく、未来に向けて決断をすることですから、常に不十分な情報しか存在しない中で、決断することを求められます。「情報がまだ足りないので、決断はもう少し後にする」と言っていたら、いつまでも決断できません。

さらに言えば、十分な情報が揃っているのなら、リーダーでなくても決断はできます。リーダーの役目は「情報も時間も不十分な中で、決断をすること」なのです。そのリスクを誰もとらず、「会議で決まったことだから」などと言っているから、大変な結果が起こっても誰も責任をとらない事態が発生するのです。

あるアメリカ企業の経営者が会議の席上で「A bad decision is better than no decision」と発言したのを聞いた時は、そのとおりだと感じるとともに、それを経営トップが会議で公言することに驚きも覚えました。これはまさに、決めることがリーダーの責務であると理解している人の言葉です。「ベストな結論が見つかるまで検討を続けるべきだ」などと言っていては、お話になりません。

なぜベストな決断でなくても、決めることが重要なのか。ひとつの理由は、何かを決断すると、問題を浮かび上がらせることができるからです。リーダー経験のない人たちは、問題が起こるとすぐに「決断が間違っていたのではないか」、「もっと慎重に検討すべきだった」などと誹《そし》り、時には一度決断したことを撤回すべきだとさえ言い出します。なんとかして、結果責任につながる「決める」という行為を避けたがるのです。

しかしリーダーが決断する時は、「これで万事がうまくいく」という結論が出た段階ではありません。問題は山積みだが、今が決断して前に進むべきタイミングであると考えて、決断するのです。したがって、決断の後に問題が噴出するのは想定内です。

むしろ問題を明らかにし、何を改善すべきかを浮き彫りにするために決断することさえあります。問題点が洗い出せれば、一歩前に進むことができます。この点が理解できず、何につけても「やっぱり拙速だった。もっと議論してから決めるべきだったのだ」と言っている人にも、リーダーシップ・ポテンシャルはありません。

ケース面接の中でも、とめどなく情報を求める人がいます。情報ばかり求めていて、いつまでも自分の結論を言わないのです。「あなたはどうすべきだと思いますか？」と聞くと、「もっとよく調べます」と答えるのです。それなのに「調査で何がわかったら、決断できるのですか？」と問うても答えが返ってきません。こんな人がリーダーに向いているでしょうか？

世の中には経営者が何も決断できないままに、ずるずると消耗戦を続けている企業がたくさんあります。経営者もサボッているわけではありません。「十分な情報が得られるまで、真摯に検討を続けているだけ」）です。誠実で善良な人なのかもしれませんが、こんな（リーダーシップの欠如した）人に率いられる組織は、本当に災難です。

ところで、全員がリーダーシップをもっているチームでは、最終的な判断を下すのはオフィシャルなリーダーであったとしても、議論の段階では全メンバーが「自分がその立場であったら」という前提で議論をします。このため各メンバーはリーダーに対して、「ここがおかしい」とか「ここを変えてください」と言った、意思決定者への陳情（要請）のような意見の述べ方ではなく、「私がもしリーダーであれば、こういう決断をする」というスタンスで意見を述べます。

図表6は一人がリーダーであとはフォロアーというチーム、**図表7**が、全員がリーダーシップをもつチームです。図表7では、全員が自分をリーダーポジションに置いて考えるため、一面的で全体の整合性がとれない意見や、理論的にはあり得るけれど現実性のない意見を言う人、間違いではないけれど優先順位の低い部分にこだわる人が存在しません。

図表6では、「決める人」と「他者に決めてもらう人」の間で意見交換が行われています。それは、全員が「自分が最終的に決める人であったなら」と考えるチームの議論とは、大きく性格が異なるものなのです。

図表6　1人がリーダーで、他はフォロアーのチーム

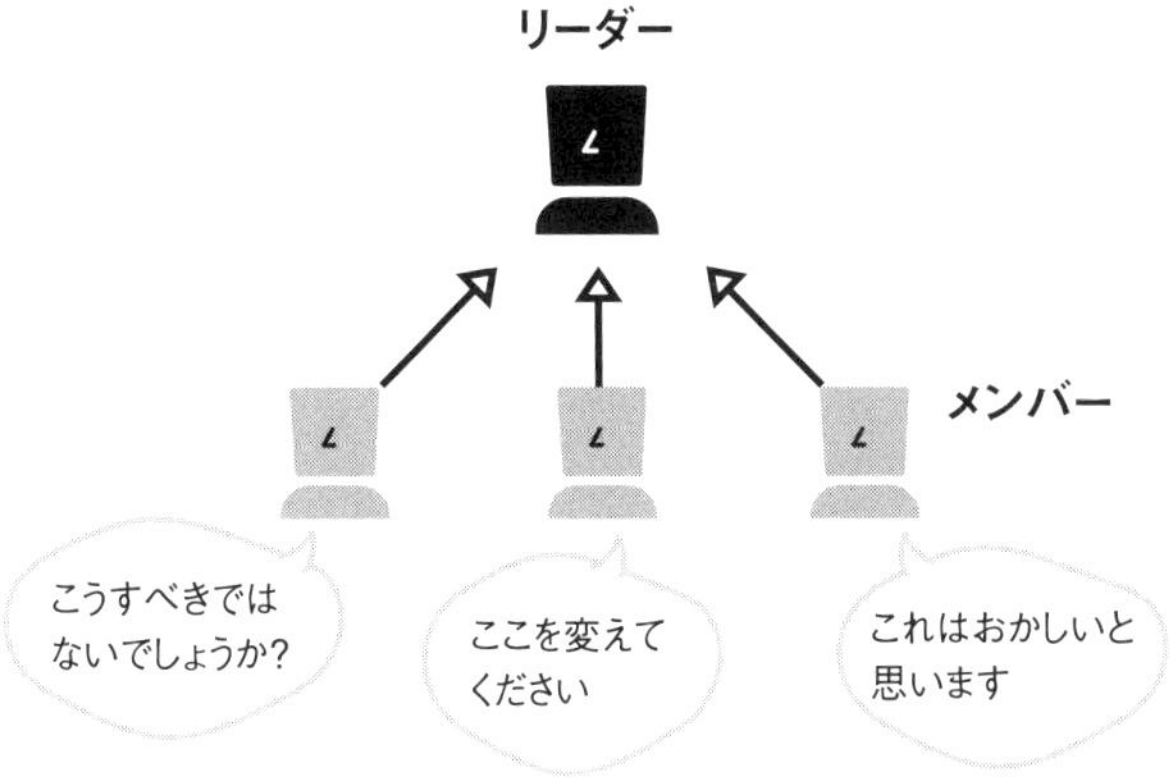
リーダー
メンバー
こうすべきでは
ないでしょうか？
ここを変えて
ください
これはおかしいと
思います

図表7　全員がリーダーとしての自覚をもつチーム

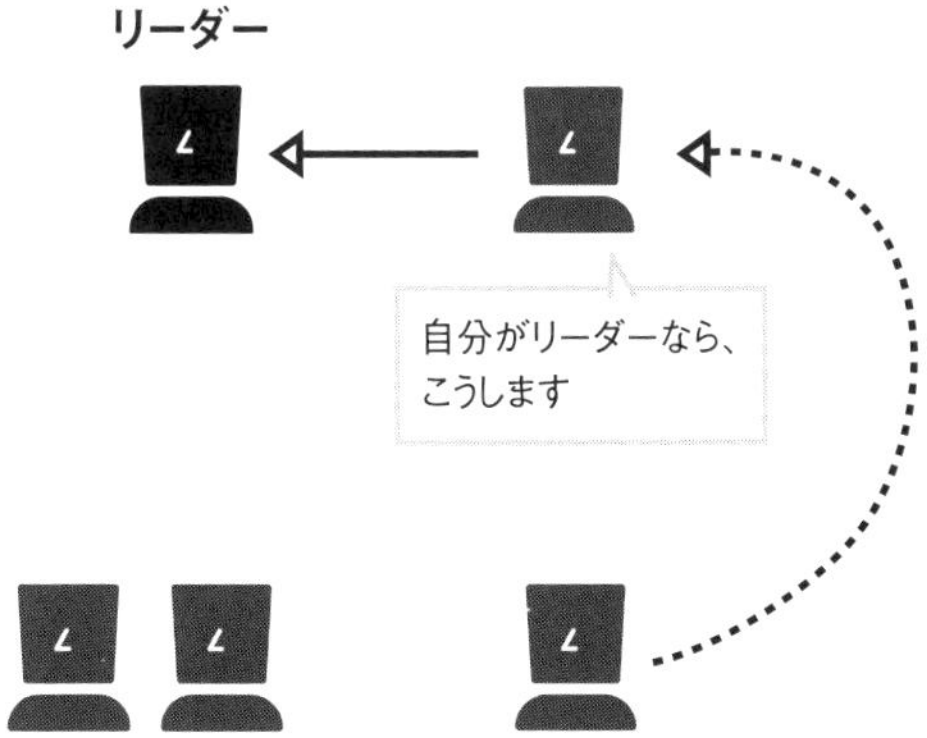
リーダー
自分がリーダーなら、
こうします

その4：伝える

もうひとつ、リーダーの大切な仕事が、コミュニケーションです。明示的という意味で言葉の力は重要です。家族など極めて近しい人を少人数だけ率いるのなら、言葉ではなく態度で示すなり、背中で教えることも可能でしょう。しかし一定人数以上の組織を率いる場合や、多様な価値観をもつ人が混在している場合、また、成果を出すことが極めて困難な状況では、言葉によって人を動かすことは必須となります。

黙っていても伝わるとか、わかってくれているはず、は通用しません。問題が発生した場合も、問題の原因や対処方法の選択肢、さらに、その中からなぜこの案を選んだのかという判断の根拠も、言葉で説明する必要があります。これがアカウンタビリティ（説明責任）と呼ばれるものです。

日本の組織や企業は、長い間、極めて同質的な人だけで構成されていたため、説明責任や言葉の力を軽視しがちです。今は日本人以外の人、仕事に対する考え方が異なる人もひとつの組織に混在しています。そういった人々を束ね、高い目標に向かって進ませるには、なぜそれが必要なのか、ほかにどんな選択肢があったのか、などについて、論理的かつ明示的に伝える必要があります。

言わなくてもわかっているはずと考え、伝えることを軽視する人の大半は、多様性のあるチームを率いた経験がありません。もしくは、自分のチームメンバーが多様であるということに気がついていません。自分と同じモノを見れば、他の人もすべて自分と同じように感じているはずだと考えるのです。

しかし、もしも本当にそうであれば、そんなチームが達成できる成果はたいしたレベルにはなり得ません。マッキンゼーではよく「まったく同じ人間が二人いるなら、どちらか一方は不要だ」と言われます。同じものを見た時に、常に同じことしか考えないのであれば、ひとつのチームにその二人が存在する意義はありません。同じものを見ても、時には異なることを感じとるからこそ、それぞれの人の存在価値があるのです。

そうであれば、「言わなくてもわかるはず」などという原則が通じるはずはないことは自明です。強いチームとは、多様な価値観をもつ人が集まったチームです。そして多様な個性の人が集まったチームでは、リーダーには常に「言葉で伝える」ことが求められるというわけです。

なかには、外見が異なる海外のメンバーがチーム内に存在する場合のみ、言葉で伝えることを重視し、見かけが同じ日本人ばかりのチームだと「言わなくてもわかるだろう」と思い込んでしまう人がいます。しかしたとえ見かけが同じ日本人でも、たとえ同じ会社で何十年も働いていても、何を見ても同じように考える人ばかりが集まることはありません。

現実には、たとえ必死で言葉を尽くしても、自分の考えを正確に伝えることはとても難しいことです。マッキンゼーのプロジェクトでも同じです。全員が同じ目標を共有し、そこに進む道筋を同じように理解しているはずなのに、それらを言葉によって確認する作業を怠ると、すぐにズレが生じ始めます。人間はそれほどに多様なのです。

それぞれの人は異なる感受性や思考回路をもっているのですから、新たな情報に触れたり、思考にふけるたび、ほかの人とは異なるアウトプットが生成されます。それが積み重なると、同じゴールを見ているはずだったのに、いつのまにか少しずつ違った場所を目指しているということが起ります。

だからリーダーのポジションにある人は、何度も繰り返して粘り強く同じことを語り続ける必要があります（全員がリーダーの意識をもっていれば、全員が自分の考えを積極的に声にするでしょう）。わかってくれているはずの人も、その多くが、わかった気になっているだけであったり、わかったような顔をしているだけだったりします。伝わっているかどうかも確認せず、「伝わっているはず」という前提をおくのは、怠慢以外のなにものでもありません。

特に厳しい環境下では、組織内にさまざまな不満や怪しい言説が広がります。悪意をもった言説と組織内の不協和音を取り除き、人心をひとつにして前に進めるために、リーダーの言葉以上に強力な武器は存在しません。そういう場合はたいてい、兵糧（動機づけに使える予算、報酬の蓄え）が尽きていて、頑張った人にも金銭で報いることができない状態です。だからこそコストのかからない言葉の価値はさらに大きいのです。

このように、リーダーがなすべきことは①目標を掲げる、②先頭を走る、③決める、④伝える、の四つに収束します。シンプルに見えて、とても重要なことばかりです。

逆に言えば、決断をしない人はリーダーではありません。伝える努力をしない人も、先頭を走る覚悟のない人も、成果目標を掲げて見せてくれない人もリーダーとは言えないということです。調査する、勉強する、考えるなどの行為は、どれほどの時間と熱意をかけてそれらに取り組んでも、それでリーダーの役割を果たしているとは言えません。「後ろから部下を見守っている」のもリーダーではありません。

目標を掲げ、先頭に立って進み、行く道の要所要所で決断を下し、常にメンバーに語り続ける、これがリーダーに求められている四つのタスクなのです。

Column

マッキンゼー入社を目標にする困った人たち

どこの企業に応募した場合でも、幾度にもわたる厳しい面接の後に内定が得られれば、とても嬉しいでしょう。しかし外資系コンサルティングファームは、終身雇用でも年功序列でもありません。入社後に求められる成果が上げられなかった場合でも、一生そのファームに所属でき、年功によって昇級や昇格が保証される場所ではないのです。

そんな組織から内定をもらうことには大きな意味はありません。入社しても求められる成果が出せなければ、長くとどまることができないからです。

大企業であれば、最初の配属部署で実力が発揮できなかった人も、別の部署や別の拠点で活躍できる可能性があります。しかしコンサルティングファームでは、原則として職種はひとつしかありません。その職種で成功できなければ、ファーム内には残れません（私のようにコンサルタントから人材関連職に転換するケースはありますが、これも、コンサルタントして一定の評価を得ていて初めて可能になるキャリアパスです）。

なかには「短期間でもマッキンゼーに所属していれば、履歴書がキレイになる。元マッキンゼーという肩書きが、その後のキャリアに役立つ」と考える人もいるのかもしれませんが、履歴書に有名企業の名前があるなどという理由で、雇ってくれるまともな企業は存在しません。メディアで取り上げてもらうには多少有利かもしれませんが、それも最初だけです。

どこの企業に応募する時も同じだと思いますが、面接のプロセスを通して候補者が見極めるべきことは、「この仕事は本当に自分がやりたい仕事なのか」、「自分に適性のある仕事だろうか」ということでしょう。換言すれば、「ここは自分にとっての正しい場所なのか」ということです。

実は面接担当者も同じことを考えています。「マッキンゼーはこの人にとって、正しい場所なのか。ここが、彼・彼女がこれからの何年間かを過ごすべき場所なのか」を見極めようとしているのです。

卒業生の中には、「マッキンゼーは、ずっと働き続けたいと言わなくても内定が出る」と言う人もいます。もちろん採用側は、長く在籍してファームのリーダーとなる人を探しているので、「マッキンゼーを自分のキャリアの踏み台にしたいです」と言う人を無条件で歓迎しているわけではありません。しかし、たとえその候補者の最終的なキャリアゴールがマッキンゼーの外にあっても、それに至る過程において「ここが正しい場所だ」と判断できれば、採用の障害にはなりません。

それよりもむしろ問題なのは、マッキンゼーに入社することがキャリアゴールであるかのように見える人のほうです。司法試験に合格することが目標の法律家志望者や、医師免許を取得することが目標の医大生と同様、そんなところに目標をおかれては、その人が何を目指しているのか、まったくわかりません。

候補者の方から「ＭＢＡを取得すると、入りやすくなりますか？」と問われることもありましたが、二年間の留学は多大な投資です。就職のために、気が進まない留学などするべきではないし、反対に、ビジネススクールで学びたいことがあるなら、マッキンゼーへの入社に有利でも不利でも気にせず留学すればよいのです。

マッキンゼーに内定をもらうことが極めて重要なこととなり、そのために必死で努力し、ケース問題を徹底的に分析して準備する……こういったメンタリティに入った段階で、「あまりに目標が低すぎる」と面接担当者は感じ、「この人にとって、マッキンゼーは正しい場所ではない」と、判断してしまうでしょう。

第5章

マッキンゼー流リーダーシップの学び方

カルチャーショックから学ぶ基本思想

将来、グローバルリーダーとして活躍できる人を採用しているとはいっても、必ずしも全員が採用時点で十分なレベルに達しているわけではありません。日本を出たことのない人もいるし、〝出る杭はすかさず打たれる〟保守的な組織で長く働いてきた人もいます。大半の人は、入社直後の数カ月に強烈なカルチャーショックを受けた後、必要な教育や訓練を経ることにより、リーダーシップを鍛え、身につけていくのです。

日本よりはるかにリーダーシップが重視されているアメリカでも、最初は多くの人が大学入試や就職活動に有利であるというテクニカルな理由で、「リーダーシップを発揮しなければ」と考えます。それでも実体験を積み重ねれば、人はそれによって得られるものの大きさに気がつき、自然と「もっとリーダーシップを身につけたい」と考えるようになります。そのうちに、大学入試のために必要だからとか、就職のために、会社で評価されるために、といった意識は消えてしまいます。

実はこういったメンタルセットの変化を引き起こすことが、リーダーシップ教育のスタートラインであり、最も重要な点です。リーダーシップとはスキルであると同時に、メンタルセット（問題が目の前に存在した場合、それにどう向き合うかという気持ちのもち方）でもあるからです。

マッキンゼー在職中には、リーダーシップ〝ポテンシャル〟（可能性であって実績ではない）を評価されて採用された若者たちが、数年の間に急速にその力を身につけていく事例を数多く見てきました。彼らは、リーダーシップを身につけることで可能になることの大きさに気がつき、それが自分のキャリアや人生にどのような意味をもつのか、理解し始めます。そして次第に、誰かに評価してもらうためではなく、自分のためにリーダーシップを発揮しようと考え始めるのです。

本章では、マッキンゼーの門をくぐった新人コンサルタントたちが何を教えられ、何を体験することにより、どう変わっていくのか、私自身の体験も踏まえ、振り返ってみたいと思います。

基本動作1：バリューを出す

マッキンゼーに入社して最初に驚くのは、みんなが呪文のように唱える「バリューを出す」という言葉です。こんな特殊な表現を一日に何度も聞くことにも驚きますが、その使われ方もまた独特です。

「バリューが出る（もしくは出す）」とは、「何らかの成果（付加価値）を生む」ということで、会議で有益な発言をすればバリューを出したことになるし、ユニークな情報が入手でき、それを分析した結果、画期的な洞察が得られれば、バリューのある分析、バリューのあるメッセージ、と呼ばれます。

特定分野に詳しいコンサルタントを会議に呼んで話を聞いた場合には、呼ばれたほうのコンサルタントが帰り際に、「私はちゃんとバリューが出せましたか？」と確認することもあります。請われて協力した人も含めみんなが、自分がその一時間の会議中に、期待されただけの価値を提供できたかどうか、気にしているのです。

よく言われる「会議で発言ゼロの人はバリューゼロ」というのも同じです。どんな会議であれ、話を聞くだけでひとことも話さなければ、その人がその会議にいてもいなくても、会議の結論、すなわち成果物は一切変わりません。つまり、その人の出した付加価値はゼロということになります。たとえ稚拙であっても何か発言をすれば、ほかの人の思考を整理したり刺激したりする可能性もあり、会議の成果物が変わるかもしれませんが、発言ゼロでは価値が出る可能性は完全にゼロです。

この「バリューゼロ」というのは、マッキンゼーでは最も恥ずかしいこととされており、たとえ新人であっても、会議での発言ゼロは許されない雰囲気があります。何も発言しない一時間の会議は、完全に無駄な時間であって、給料泥棒と見なされます。マッキンゼーは学校ではないので、会議に参加して「今日は勉強になった」などと満足していることは、あってはならないことなのです。

こうしてごく短い時間単位で「どんなバリューを出したのか?」と問われ続けることは、個々のコンサルタントの行動に影響を与え、仕事の生産性を向上させます。

たとえば二時間かけて資料を読めば、二時間後にはその資料から得た知見や、顧客企業にとっての意味は何なのか、必ず考えるようになります。「二時間かけて資料を読んで、○○についてよくわかりました」では、「あなたの仕事は勉強することなの?」などと皮肉を交えて怒られてしまいます。

こういった環境で働いていると、「今、自分のやっている仕事は、どのような価値を生むのか」ということを、強く意識するようになります。漫然と作業をすることがなくなり、価値を生まない無駄な作業はさっさと切り上げ、できるかぎりバリューの高い仕事に優先して取り組もうと考えるようになります。これにより、リーダーが最もこだわるべき成果の重要性や、それにこだわる姿勢をたたき込まれるのです。

基本動作2：ポジションをとる

もうひとつよく言われるのが、「ポジションをとれ」という言葉です。これは、「あなたの意見は何か」、「あなたが意思決定者だとしたら、どう決断するのか」という意味です。マッキンゼーでは若手コンサルタントも常に、自分の立ち位置をはっきりさせ、自分の意見を明確に述べるよう求められます。

一般的な企業では、新入社員であれば資料を集めて分析し、企画案をいくつかまとめて会議用の資料を仕上げれば、あとの判断は上司や〝上の人たち〟が会議で決めるといった役割分担があります。しかしマッキンゼーでは新人であっても、結論は何か、顧客企業はどのような判断をすべきか、と問われます。

会議で、これまでにやってきた分析の結果を順序立てて説明しようとすると、すぐに言葉を遮られ、「で？」とか「So what?」と短く（冷たく）問いただされます。「まずは自分の意見を言え、分析の結果や理由はその後に述べよ」ということです。そしてこの質問に答えられないと、どんなに膨大な分析資料を用意していても、「バリューはゼロ」と認定されてしまいます。問われるのはプロセスではなく成果であり、成果につながる可能性のある結論（メッセージ）が明確でなければ、「いったいなんのために作業したの？」というわけです。

会議で「So what?」と問われて、首尾よく自分の意見（結論）が言えると、そこからはその意見に関して議論が始まります。結論を導いたプロセスに議論が戻るのは、分析手法などに疑問が生じた場合なので、そこに話が戻るのはよくないシグナルと言えます。

こうした「So what?（つまり、あなたの結論は何なの？）」にフォーカスした議論の方法も、仕事の生産性を向上させます。そういった会議をいくつか経験すると、みんな「最終結論を左右しない枝葉末節の分析に時間を使うのはやめよう」と考え始めるからです。反対に、結論を左右する重要なポイントに関しては、入念に検証しなければならない、という意識が強くなります。

たとえば「投資すべきか否か」を検討するために、投資に必要な額と、リターンが得られるタイミングやその額など将来のキャッシュフローを細かく推定し、表計算ソフトを使って全体の投資収益を計算します。こういった分析を行う際、投資額に対するリターンが何億何千何百万円になるのか、詳細まで詰めて計算しようとすると多大な時間がかかります。しかし「投資すべきかどうか」だけを見極めたいのであれば、概算でざっと計算できれば結論が出る場合も多いのです。

一〇〇億円投資しても、〝だいたい〟五〇億円しか戻ってこないとわかれば、少しぐらい誤差があっても、結論は「投資すべきでない」となります。投資の是非に結論を出すという目的においては、この段階で分析は終わりです。けれど、〝だいたい五〇億円〟ではなく、四八億円なのか、五二億円なのかを確定させようと思えば、さらに分析を続ける必要があり、多くの場合、こういった詳細を詰めるための分析には膨大な時間がかかります。

「So what?」、つまり「一〇〇億円の投資をすべきか、否か」という結論を出すためだけであれば、リターンが四八億円か五二億円かを明確にする必要はありません。いずれの場合も投資をする意味はまったくないという結論が変わらないからです。このように、常に結論にフォーカスする癖をつけることで、検討に必要な時間は大幅に短縮できます。それは最終的に、経営の意思決定のスピードを左右することになるのです。

また、早めにポジションをとることにより、さまざまな問題点が浮かび上がり、改善や修正も素早く行えるようになります。仮でもよいのでポジションをとって結論を出さないと、外部から反対意見さえ集めることができず、何を改善すればいいのか見えてきません。

金融機関が一定規模以下の支店をすべて廃止し、ATMなど無人店舗に置き換えようと考えたとします。こういった抜本的な営業体制の変更をする際、事前にいくら時間をかけて検討しても、実施後に起こることを完璧に予想するのは不可能です。どれだけ時間をかけても、どれほどの人数を投入して調べても、必ず思ってもみなかったことが起こります。「体制移行に伴って生じる可能性のある問題点のリストを完璧につくり上げるまで、この件については一切決断しない」という方式だと、永久に決断できないでしょう。

一方、いったん「営業規模○○億円、顧客数○○人以下、近隣店舗までの距離○○キロ以下の支店はすべて無人化する」などと決めてしまうと、その基準に当てはまる支店に関係するすべての人が、突然、大騒ぎを始めます。みんな真剣に移行のプロセスや移行後の実務について考え始め、これまでいくら検討を重ねていても見えてこなかった不安や不明点、要確認点があちこちから噴出します。

こういったやり方を拙速と捉える人もいます。しかし、いったん決めてから問題点を洗い出し、対策を考えていくのは、新しいことを試す際のひとつの手法です。あちこちから寄せられた反対意見や反応の中には、検討時には無関係だと思っていた人からの意見も含まれています。そんなところにまで影響が出るとは想像もできなかったところから、重要な指摘がなされることもあります。「結論を出す＝ポジションをとる」ことで、初めて得られるフィードバックや異議は、どんなに事前準備を詰めていても得られないほど有意義なものであることが多いのです。

準備が完璧になるまで決めないという意思決定方式は、一見、責任感のある正しいやり方に見えます。しかし、準備を完璧に行うことが可能だと思っている時点で、この考えは極めて傲慢であり、非現実的です。そうではなく「常にポジションをとり、結論を明確にしながら、その結論に対して寄せられる異義やフィードバックを取り込んで、結論を継続的に改善していく」やり方のほうが、現実的な場合もあるのです。

さらに重要なことは、目の前の案件について、「どこまで詰めたら決断すべきなのか」、「どこまで詰めたら始めるべきなのか」を、意識的に考えておくことです。詳細が完璧に詰まれば実行するなどと言っていては、多くの場合、適切な時期に何かを始めることはできません。結果として「永久に検討しているが、何も決めない組織」になってしまいます。

特にコンサルティングファームで行われる議論の多くは、ブレーンストーミングと呼ばれる思考実験的な議論です。そんな中でポジションをとらず、「もう少し調べないとなんとも言えません」などと言っていては、なんの価値も出せません。常に全員が自分の結論を明確にし、顧客を含めた多方面からフィードバックを集めることで、より早く問題点を明確にし、議論を前に進めることができるのです。

そして、こうして日々「ポジションをとれ」と言われ続けると、何に関しても常に「自分の意見は何か?」と意識するようになります。たとえ自分に直接関係のない事柄であっても、「もし自分だったらどうするだろう?」と当事者意識をもって考えるようになります。このように、自分自身の結論をもつ癖をつけることが、リーダーの仕事である「決断する」ことの、実地訓練となるのです。

基本動作3:自分の仕事のリーダーは自分

入社してすぐの頃、先輩に教えられたのが**図表8**の自分が中心に位置する放射状の組織図でした。通常の組織図(**図表9**)は、上司が上、部下が下に書かれた固定的な図(いわゆる組織ピラミッド、もしくはレポーティングラインを示すヒエラルキーの図)ですが、この組織図はマッキンゼーのチームには当てはまりません。マネジャーはパートナーの指示に沿って仕事をする人ではないし、各コンサルタントもマネジャーから割り振られた仕事を担当する部下ではないからです。

かわりに、常に意識しろと教えられた図は、図表8の自分を中心とする放射状の組織図でし

図表8　放射状の組織図

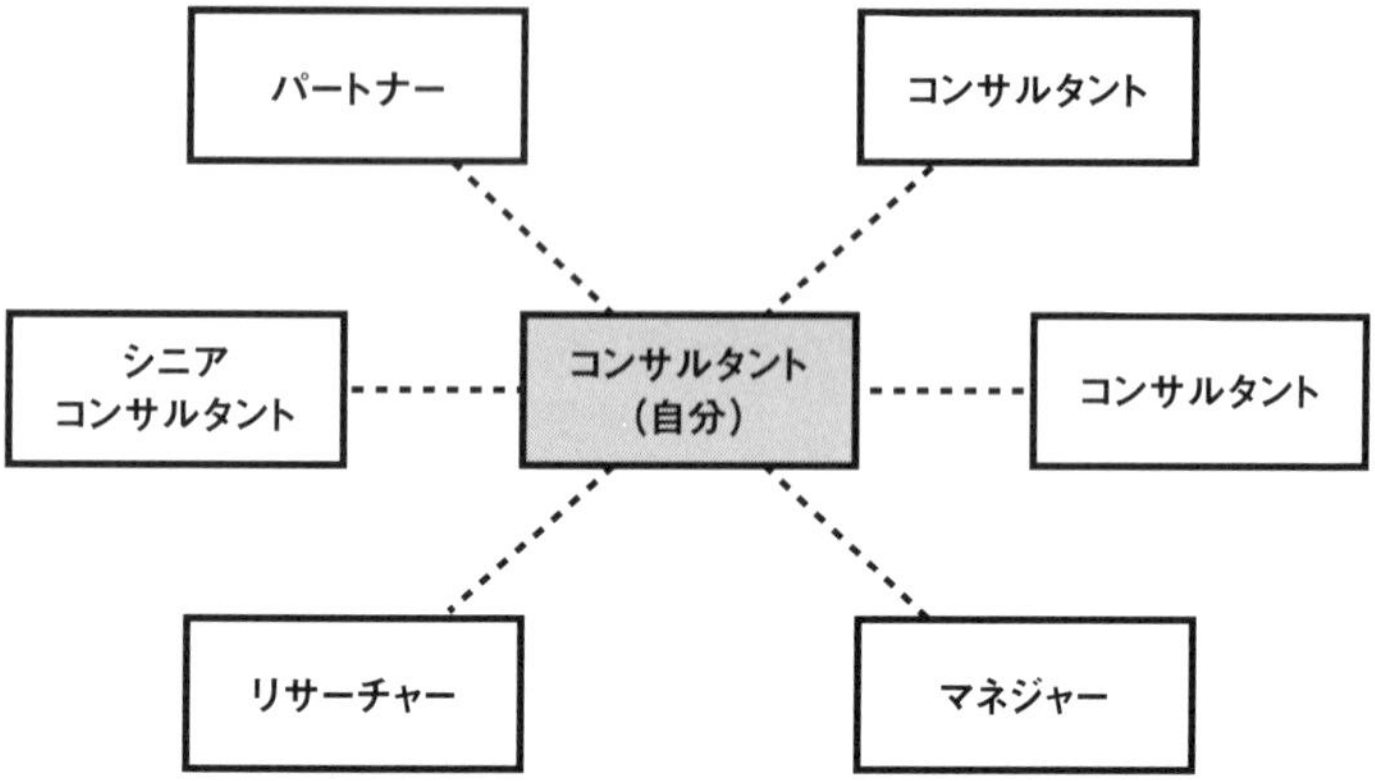

た。これは、「自分の仕事に関しては自分がリーダーであり、パートナーやマネジャーを含めた関係者をどう使って成果を最大化するのか、それを考えるのがあなたの仕事だ」という意味です。
真ん中に位置する自分を舞台監督だとすれば、パートナーは主演男優、マネジャーは主演女優とも言えます。自分よりも彼らのほうが給与も高いし、知名度や立場も上かもしれません。それでも「舞台をつくり上げ、成功させる」ことについて主導し、責任をとるべきは監督、すなわち自分である、ということです。だから「上司をどう使うか考えるのも、あなたの仕事だ」となるわけです。
たとえば新人コンサルタントが調査分析を行い、マネジャーやパートナーも出席する会

図表9　通常の組織図

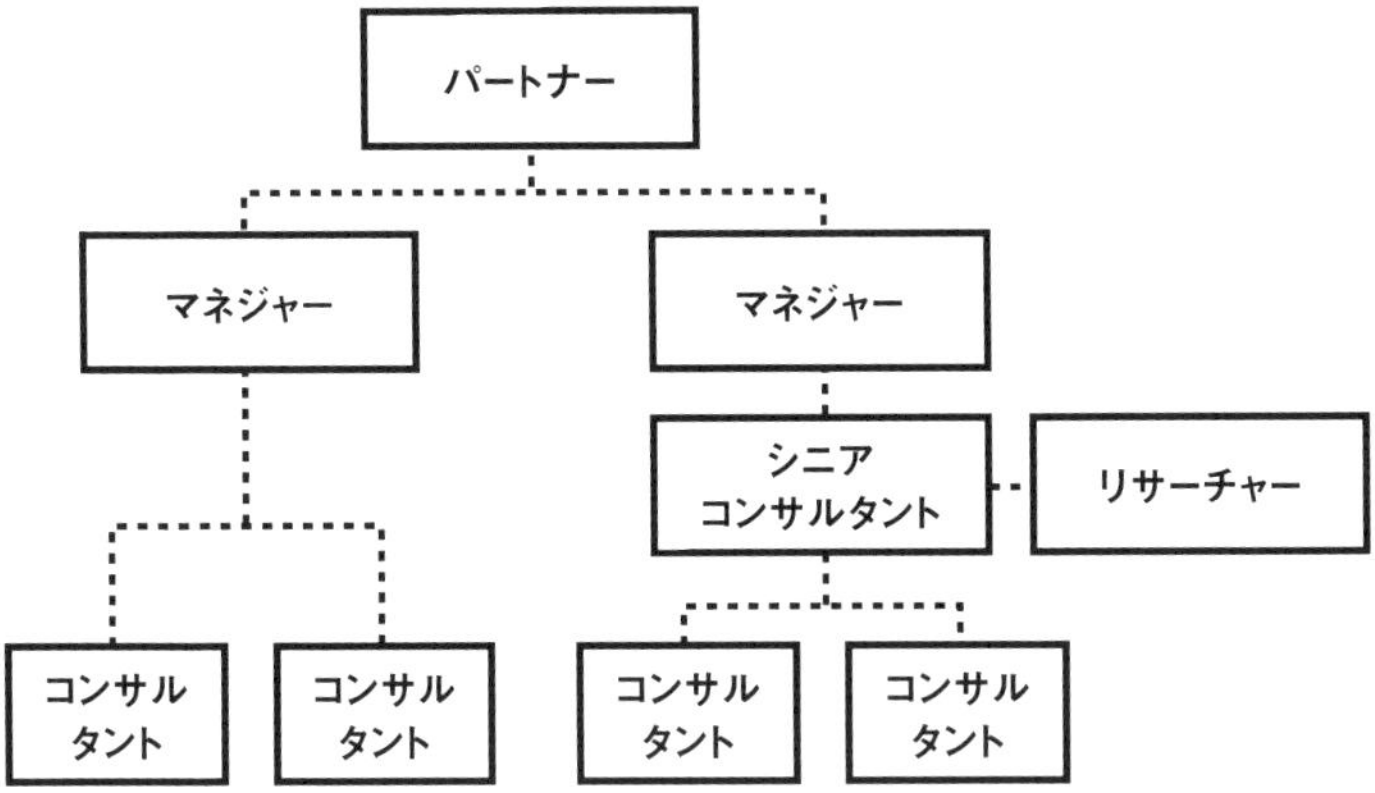

議で説明するとしましょう。通常の企業では、これは「下の人がつくった資料を上司に報告し、上司がチェックする」会議です。しかし自分が中心の組織図が示すのは、資料をつくった本人が、自分自身の結論（顧客企業への提案内容）をよりよいものにするために、上司や他のメンバーからのインプットを獲得し、利用するための場として会議を活用する、というコンセプトです。
各メンバーはその会議の中で、マネジャーには何をしてほしいか、パートナーには「自分の担当分野の結論の質をより高めるために」どう貢献してほしいか、と事前に考えておき、それを実現しようとします。
図表10は、ミーティングマネジメントの手

図表 10　ミーティングにおける達成目標の一覧表

<table>
<tr><th></th><th>議論
したいこと</th><th>依頼
したいこと</th><th>調整
したいこと</th><th>決めたい
こと</th></tr>
<tr><td>パートナー</td><td rowspan="5">この件について全員で議論してほしい。今日中に、新たな仮説を立てたい</td><td>この件についてパートナーから顧客のCEOに話してほしい</td><td></td><td rowspan="2">先日話が出ていた合同会議をやるかどうか最終決定したい</td></tr>
<tr><td>マネジャー</td><td></td><td></td></tr>
<tr><td>シニア
コンサルタント</td><td></td><td rowspan="2">他分野を調査しているメンバーと作業の方法論についてすり合わせたい</td><td></td></tr>
<tr><td>コンサルタント</td><td></td><td></td></tr>
<tr><td>リサーチャー</td><td>この件についてリサーチャーに調査を依頼したい</td><td></td><td></td></tr>
</table>

法として教えられたことを図化したものです。最初の頃は、パートナーやマネジャーが出席するミーティングの前に、このような図表をつくって、どのように今日の会議を進めるべきか確認していました。
　会議には、「みんなで議論したいこと」や、「特定のメンバーに頼みたいこと」、「最終決定したいこと」など、その会議の達成目標が存在しています。事前にそれらを整理し、会議の時間内ですべて終えられるよう話を進めるのが、会議のリーダーシップをとるという行為です。

時にはこの表を最初にみんなに見せ、「今日の会議でやりたいことはこれです」と、議論の進め方を説明するためにも使います。もちろん、会議に出席しているメンバーは、みんな自分なりの達成目標、すなわち、「この会議で決めたいこと、話し合いたいこと」をもっていますから、仕切りがうまくできないと、自分の担当分野に注目を集めることが難しくなります。

別の言い方で言うと、前述した放射状の組織図は、すべてのコンサルタントの頭の中にあるということです。そして誰の図でも、自分が中心に置かれています。つまり、すべての人が「自分が舞台監督として、メンバーをまとめ上げ、成果を出そう」と考えているわけです。

こう書くと「全員がそんなに自己中心的なことを考えたら、会議が混乱するのでは？」と思われるかもしれません。でも、そんなことは起こりません。全員の目的が同じだからです。「顧客企業の問題解決に最も貢献する課題について、今日のこの会議で話し合うべき」という判断基準は全員が共有しています。したがって、各人がもち寄った「自分のアジェンダ（会議の中で達成したいこと）」は、その基準に照らして、その場で優先順位がつけられます。そして最も重要な課題をもち込んだメンバーが、その会議でリーダーシップを発揮するのです。

つまり各メンバーに求められるのは、顧客企業にとって、できるだけ価値が高い課題を会議のテーブルにもってくることです。そうすれば、メンバー全員でそれを議論する価値があると判断されます。反対に、どうでもいいような課題をもち込んでも、みんな時間を割こうとしてくれません。

こうして各メンバーには、「できる限り、チーム全体の成果達成に貢献度の高い課題にフォーカスして仕事をしよう」というインセンティブが生じ、これも仕事の生産性を向上させる重要な動機となるのです。

基本動作4：ホワイトボードの前に立つ

常に「バリューが出ているか」と問われることにより、プロセスや作業ではなく、結果（成果）にこだわる意識がすり込まれます。常に自分の意見を明らかにするよう求められることで、「決断する」ことが訓練されます。さらに上司に対してさえ、その知識や判断力、ネットワークを、成果目標の達成のためにどう活用すべきかという視点をもって、向き合うことが求められます。これらすべては、リーダーシップをとるために必要な要素技術です。

そうなると次は、それらの力を総合的に使いこなし、実際にチームで問題を解決するための実践訓練が必要となります。その舞台として使われるのが、インターナルチームと呼ばれる社内チームでの活動です。

インターナルチームとは、顧客企業のためのプロジェクトチーム（クライアントチーム）とは異なり、社内のさまざまな活動に関わるチームで、ファーム内に無数に存在しています。特定の産業や機能分野についてコンサルタントが知見を磨くための専門研究チームはよく知られていますが、それ以外でも、採用イベントやトレーニングを企画するための人材関連チーム、忘年会や社内旅行の企画など、各種イベントのために組成されるチームもあります。

インターナルチームの重要な役割のひとつは、人材育成です。私が入社した頃は、入社一年目にはみんな何かの社内イベントの企画チームに放り込まれました。対外的にはなんらリスクのないチームですが、一方でそのチームが率いるべき集団は、世界で最も理屈っぽいマッキンゼーのコンサルタントです。

忘年会の企画においてさえ、「まずは忘年会のビジョンを明確にせよ」と問われます。私は入社直後に、社内旅行のメインイベントを多数決で決めようと提案したところ、「多数決ではなく、事実と論理による検討を行ったうえで、どの案を選ぶべきか、仮説を立てて提案せよ」と言われてたまげました。社内イベントであるにもかかわらず、情報収集や分析の方法論はもちろん、ロジックから結論への流れまで、甘い部分があると何度も突き返されます。

こういった経験を通して新人コンサルタントは、与えられた使命をチームで達成する方法を実地に学んでいきます。そういった場所では、新人コンサルタントもすぐに「ホワイトボードの前に立つ」ことが求められます。コンサルティングファームにおいて、これは議論のリーダーシップをとることを示す、象徴的な行為です。

ホワイトボードの前に立って議論のリーダーシップをとるには、会議の参加者が発する意見を全体像の中で捉え、論点を整理して議論のポイントを明確にしたり、膠着した議論を前に進めるために視点を転換したりと、さまざまなスキルが求められます。この「ホワイトボードの前に立つ」という経験を通して、新人コンサルタントはディスカッション・リーダーとしての訓練を積んでいくのです。

できるようになる前にやる

マッキンゼーに入社する人は、〝いつかは〟リーダーシップを発揮する必要がある、とは理解しています。日本の組織から転職してきた人の中には「マネジャーになったらリーダーシップを発揮しなくては」と考えている人もいるし、学生から入社した人であればさらに悠長に「自分もいつかはリーダーシップを発揮できるようになりたい」などと考えています。しかしリーダーシップは、入社一年目からすべてのコンサルタントに求められます。

そのひとつの理由は、プロジェクトチームにおいて個々のコンサルタントが担当する業務範囲がかなり広く、自分の担当分野で成果を上げるためだけでも、多くの人を巻き込んで組織や人を動かしていく必要があるからです。入社一年目なのだから、もしくは、去年まで学生だったのだから、マネジャーが毎日一緒にいてくれるだろうと思ったら大間違いです。

顧客企業の製造現場や販売現場などに出かけることも多いため、同じチームのコンサルタントでも、日中は別々に行動することが普通です。そのため個々のコンサルタントは早くから、顧客企業の前で誰に頼ることもできず、自らリーダーシップを発揮して物事を進めていく必要に迫られます。

また自分の担当課題について、世界中のオフィスから専門コンサルタントを集めて会議を開催するような時には、自分より立場、経験、年齢ともかなり上の、会ったこともない海外メンバーを巻き込んで、会議のセッティングから当日の議論の進行まで、すべてを仕切る必要があります。もちろんそういった会議で、何らかの役割を〝上司に割り振る〟ことには問題はありません。すべてを自分で行う必要はありませんが、自分が中心となってさまざまな人を動かし、物事を進めていくリーダーであることが、新人コンサルタントにも求められるのです。

もちろん、これらを最初からすべてうまくこなすことなど誰にもできません。しかし、マッキンゼーでのＯＪＴ（on the job training）によるリーダーシップの訓練方法は、できるようになるまでは、先輩がやるのを見ながら学んでいくというスタイルではありません。多くの場合、とりあえずやってみて、本当にできない部分だけを誰かに助けてもらうという実践的な方法で鍛えられます。「できるようになったら、リーダーシップを発揮する」のではなく、「リーダーシップは今すぐ発揮してください。できない部分については、次回からどう改善すればいいかを学びましょう」というやり方なのです。

さらに、一定の条件下でリーダーとして機能するとわかれば、すかさずより困難な状況を与えられます。日本人だけのチームをうまく率いることができるようになると、多国籍チームでリーダーシップをとることを求められ、通常のプロジェクトを難無くこなせるようになれば、予算や日程が厳しい緊急プロジェクトを任されるといったように、次々とより強いリーダーシップを発揮すべき機会を与えられます。こうして継続的に多彩な条件下でリーダー体験を積むことにより、コンサルタントは次第に「どんな環境下でも、なんとかできる」という自信を深めていくのです。

また、マッキンゼーでは誰もが、必要とあらばいつでもリーダーシップをとり始めます。そこには上司も部下も、パートナーもマネジャーもありません。

利害が対立する人たちが多数出席している舵取りの難しい会議において、自分がディスカッション・リーダーとして議論を率い、話を進めようとしている時、力が足りず、話が進まなくなってしまう場合があります。そういった時、その場にいるほかの誰かが別の角度から話を切り出し、出席者の気持ちをくみながら感情を落ち着かせ、もつれきった論点を整理して議論を仕切り直し、前に進めてくれる場合があります。

私も何度もそうやって助けられました。しかもマッキンゼーでは、自分を助けてくれるのは必ずしも〝上の人〟ではありません。時には自分よりも若いメンバーや、経験の浅いメンバーが助けてくれるのです。日本企業の会議であれば、部長が司会をしている場合、いくら話が行き詰まってしまっても、部下である平社員が横からリーダーシップを発揮し、会議のリードを始めることははばかられるでしょう。しかし、「成果を最大化するためなら、やれることはなんでもやれ」と教えられている若手コンサルタントに、そんな遠慮はありません。

入社直後に、コンサルタント経験は私より長いけれども、年齢は私よりはるかに若いメンバーに顧客企業の前でそうやって助けられた時、自分の力不足が情けなく、悲しくて落ち込みました。同時に「自分には何が足りなくて、何を身につければああいった仕切りができるようになるのか」と真剣に考えました。「なんとしても次回は自分でできるようになりたい」と思ったのです。

もしも「自分でできるようになるまで、先輩がやるのを後ろで見ている」というように訓練されていれば、こういった悔しさを感じることもありません。スキル不足の段階から自分でやってみろと言われるからこそ、彼我のスキル差、経験値の違いを強烈に意識させられるのです。

自分のリーダーシップ・スタイルを見つける

マッキンゼーでは、自分のリーダーシップ・スタイルやそのレベルについて、定期的にフィードバックが与えられます。プロジェクトごとに行われるレビュー（業績考課のためのマネジャーやパートナーとのミーティング）の際にはもちろん、コーヒーブレークや食事の際にさらりとアドバイスされることもあります。自分から「ああいう場合、ほかにどんなやり方があったのでしょう?」と、自らフィードバックを請う場合もあります。

加えて正式のトレーニングでも、リーダーシップのあり方、とり方については、議論のテーマとして頻繁に取り上げられます。ケースを使いながら、どういった場合にどんなリーダーシップが求められるのかをみんなで議論し、うまくいかなかったケースを題材に、何が問題であったかを話し合います。このように、理論としてリーダーシップを学ぶ機会と、日常の実践現場を交互に経験することにより、コンサルタントはより複層的にリーダーシップについて学んでいきます。

一緒に働いたメンバーからのフィードバックも有用です。自分では「強引すぎるかも」と心配していた言動が、「遠慮がちで、何を言いたいのかわからなかった」などとフィードバックされることさえあるからです（もちろん反対のケースもあります）。

特にグローバルトレーニングでは、大半の日本人が「もっと明確に主張し、もっとアグレッシブに問いかけたほうが、メンバーとしてどう動くべきかわかりやすい」と言われます。異なるカルチャーの中で自分のリーダーシップ・スタイルがどう受け止められるのか、日本だけで経験を積んでいてはなかなか学べないことについて、フィードバックを得られる機会はとても貴重なものです。


ここで、マッキンゼーの人事評価システムについても簡単に触れておきましょう。コンサルタントはプロジェクトごとに、また半年ごとにレビューと呼ばれる人事考課を受けます。その際には、過去のプロジェクトでの活動や成果についての情報が、さまざまな角度から集められ精査されます。

レビューは昇格判断や業績評価のために行われるものですが、同時に、そのコンサルタントをどのようにパートナーに育てていくか、という「人材育成のための戦略会議」でもあります。各コンサルタントの得意なところと足りないところを事細かに分析し、強い部分をどう伸ばしていくか、そうでないところをどう改善していくか、パートナーが集まって話し合います。

もちろん本人からも、関心のある分野や地理的なオフィスの希望など、「どんなパス（経路）

を経て、パートナーになることを目指したいか」という意見を聞き取ります（このプロセスはパートナーに昇格すればそれで終わりではありません。同じ構造のレビューはパートナー昇格後もずっと続きます）。

つまりマッキンゼーにおけるレビューとは、ファーム内における自分のキャリア形成に関するアドバイスを受け取り、さらなる成長のために戦略を策定する機会とも言えるのです。そしてその中で最も重視されているのが、「あなたは、どんなリーダーになりたいのか」というコンセプトです。自分は、どのような分野において、どんなスタイルで組織を率いていくリーダーを目指すのか、なりたいのか、といったことが、本人も交えて頻繁に話し合われるのです。

時には本人が「こんなタイプのリーダーを目指したい」と言い、それに対して、「あなたのキャラクターや資質ではそれは難しいのでは？　むしろこんなタイプのリーダーを目指したほうが向いているよ」などとアドバイスされることもあります。

こういった話し合いを通して、コンサルタントは継続的に「自分はどんなリーダーを目指すべきか」、「自分らしいリーダーシップ・スタイルとはどのようなものなのか」ということを意識させられます。目指していたイメージが、自分には合わないリーダーシップ・スタイルだと気づくこともあれば、思いもかけなかった新しいリーダー像が形づくられる場合もあります。ファーム内にはさまざまなタイプのリーダーがいるため、ロールモデルを見つけ、その人をお手本として意識しながら必要な体験を積みかさねることも可能です。一人ひとりをリーダーとして育てるという意識が明確な組織であるため、「どうやって、どんなリーダーを目指すべきか」ということが、正式の人事評価プロセスにおいても、中心的な話題となっているのです。

こうして、入社前にはリーダーシップという言葉をほとんど意識したこともない日本生まれ、日本育ちの人たちも、短期間に一定レベルのリーダーシップを身につけ、さらに「自分も、より強いリーダーシップを身につけたい」と考え始めます。

グローバルワンファームを標榜するマッキンゼーでは、二年も在籍すれば、ほぼすべての人がさまざまな国の人と一緒にプロジェクトを率いる経験をします。外国人コンサルタントと働けば、日本人のリーダーシップ・スタイルも、より多彩かつ積極的になっていきます。また、最初はアグレッシブに見える欧米型のリーダーも、実は細やかな心配りと、地道な準備によってチームをまとめ上げているのだと気づくこともあります。

リーダーシップを発揮することは大変ですが、一方で楽しい経験であり、それにより達成できる成果の範囲が日本という国を超えて広がっていくことは、大きな達成感につながります。そしてそれは次第に、マッキンゼーで生き残っていくために必要な資質としてではなく、「ぜひ、自分もそうなりたい」と思える目標として意識されるようになるのです。

Column

ホワイトカラー職種も海外流出？

今、グローバルに事業展開をしている欧米企業の多くが、国単位ではなく、さらに広い地域単位でのビジネスの統合を始めています。たとえば、ケニア、南アフリカ共和国といった個別国に進出するのではなく、サハラ以南アフリカを統合的な市場と捉えて「アフリカビジネス」を展開しようとするわけです。同じことはアジアでも起こっています。

香港やシンガポールにアジア地域のオフィス機能を統合したり、アジアの各地（各国）に、その国の条件に合わせて、経理、法務、人事、マーケティング、ＩＴなど、各部門を分散配置するのです。

たとえば、アジア本社の経理部門をフィリピンにおけば、地域内の経費処理や給与振込処理はすべてフィリピンで（オンラインで）行われます。領収書はどの国でも定型的であり、日付と金額は簡単に判別できます。あとはレシートの上に、“taxi”、“JR, Tokyo to Osaka”などとメモをするだけで異国での処理が可能になるというわけです。

パソコンのトラブルを解決するためにＩＴヘルプラインに電話をすると、どのオフィスからもインドのサポートチームにつながります。人事でさえ、シンガポールのアジアＨＲ本部が、各国の応募者がインターネット経由で送ってきた英語の履歴書を審査し、スカイプで最初の面接を行い、最終面接だけを現地で実施する、といったことが行われ始めています。新卒の会社説明会など、一時期に集中して行われるプロセスに関しては、二カ月ほどシンガポールから日本に出張してくれれば問題なく実施できます。

このような体制が広がると、各国で雇われるホワイトカラーの人数に変化が起こります。従来は、日本など市場（購買力）が大きな国で雇用が生まれていたのに、これからは「その機能をおくのに適した国」に雇用が移転するのです。これは、工場の最適立地が日本から海外に移った結果、工場で働く人の雇用が国外流出したこととまったく同じ現象です。

「その機能をおくのに適した国」とは、欧米から、および、地域内のアクセスがよく、優秀な人材が豊富で、社会コストが安い国です。成田が都心から遠いことやインフラコストが高いことも日本は不利なのですが、何よりも深刻な問題は、そういった企業が求める優秀な人材が少ないことでしょう。

彼らが求める人材の条件とは、最初にマッキンゼーが求める人材として挙げた三つの条件とまったく同じです。

①リーダーシップ
②地頭のよさ、もしくは個別分野における知識や経験
③英語力
日本には②をもっている人はいますが、①や③を兼ね備えた人材が圧倒的に不足していることは前述したとおりです。そうなるとアジア本社のポジションは、他のアジア諸国の候補者で埋められてしまいます。

こういった体制をとるのが欧米企業だけである間は、大きな問題ではないかもしれません。しかし、製造部門（工場）に関して、欧米企業に続き、日本企業もその大半が部門全体を海外に移転せざるを得なくなったように、ホワイトカラー部門に関しても「日本企業だから、日本にホワイトカラー部門を維持できる」とは限りません。

フィリピンで経理部門を維持するコストは、日本で経理部門を維持するコストとは桁が違います。日本に工場を維持することが極めて難しくなりつつあるように、遠からず日本企業にとっても「日本に経理部門を維持すること」は、困難なこととなるでしょう。

このように、ブルーカラー職種に起こったことが、ホワイトカラー職種でも起こり始めているのですが、そこには違いもあります。工場で働く労働者に関しては、最も重要な条

件はその賃金レベルでした。また、基礎的な義務教育を受けた労働者が豊富であることは重要ですが、高等教育を受けた人材が必要だったわけではありません。経済成長を遂げ、給与も教育水準も高くなった日本の労働者が、製造部門で雇用を失うことは不可避だったとも考えられます。

しかしホワイトカラーの場合、求められているのは給与の安い人材ではありません。それは、英語でリーダーシップがとれ、専門知識を駆使してアジア全体のオペレーションを率いていける付加価値の高い人材です。日本がそういった人材を大量に供給できる国となるのか、それともそういった人材の雇用さえ逃してしまうのかは、これからの日本の大学や企業における人材育成の姿勢と覚悟にかかっていると言えるでしょう。

第6章

リーダー不足に関する認識不足

組織的・制度的な育成システムが必要

マッキンゼー以外の場所でも、将来すばらしいリーダーになるだろうと確信できる若者たちによく出会います。彼らはウェブ関連分野で働いていたり、日本のファストフード店や、アパレル企業でアジア進出を担当していたり、フィリピンやベトナム、インドなど、海外と日本をつなぐ事業を自ら始めていたりします。事業結果には成功も失敗もありますが、誰から教えられることもなく、日々の仕事の中からリーダーシップを学び、身につけています。

彼らの大半は零細企業、もしくは個人企業で働いており、一流大学の卒業生でもありません。それでも、コンサルティングファームで訓練を受けた若者に見劣りしないスピードで成長し、より実践的な体験を積んでいます。彼らを見ていると、貴重な体験は、極めて速いスピードで人を育てるのだということが、よくわかります。

しかし全体から見れば、こういった環境で働いている人の数はまだまだ限定的です。実は日本の大企業の技術者の中にも、海外企業との共同開発プロジェクトのメンバーに任命され、グローバル環境の中でリーダーシップを鍛えられている人がいます。しかし、こちらも数が少ないうえに、プロジェクトが終わると本社に戻され、年功序列型組織の中に再度、組み込まれてしまいます。どんなにすばらしい経験を積み、グローバルに通用するリーダーシップを身につけてきても、彼らが経営の権限を与えられるまでには、何十年もの歳月が必要であり、なかにはすっかり日本的な組織人に戻ってしまう人もいます。

日本人がリーダー資質に乏しいわけでも、リーダーとしての適性がないわけでもありません。それなのに、制度的・社会的にリーダー育成が行われていないために、この国のリーダーの数、若者が受けているリーダー教育の質や量は、極めて低いレベルにとどまっており、そのために日本では、リーダーの絶対数が不足しています。そしてこのことが、現在の日本社会においてさまざまな問題が解決されないまま放置されている、大きな原因となっているのです。

絶望的な「グローバル人材」という言葉

日本では今、あらゆる場所でリーダーシップ不足による問題が起こっています。それらを解決するには、偶然に頼るのではなく、リーダーを育てる仕組みが必要です。しかし今は、そういった仕組みが必要だという問題意識さえ共有されていません。

たとえば、最近よく聞くグローバル人材という言葉。これを聞くたびに私は、絶望的な気持ちになります。日本社会はいまだにリーダーシップの重要性を理解していない、と思えるからです。

グローバル人材とは、「グローバルに活躍できる人材」という意味なのでしょう。マッキンゼーはグローバルリーダーを育てると言っていますが、「グローバル人材」と「グローバルリーダー」というふたつの言葉は、その意味するところが決定的に違っています。そしてその差が、「世界が育てようとしている人材」と「日本社会が必要と考えている人材」の違いを象徴しています。

図表11を見てください。現在の日本にいるのは左下のドメスティック人材です。ここでは人

図表11　求められる人材像のマトリックス

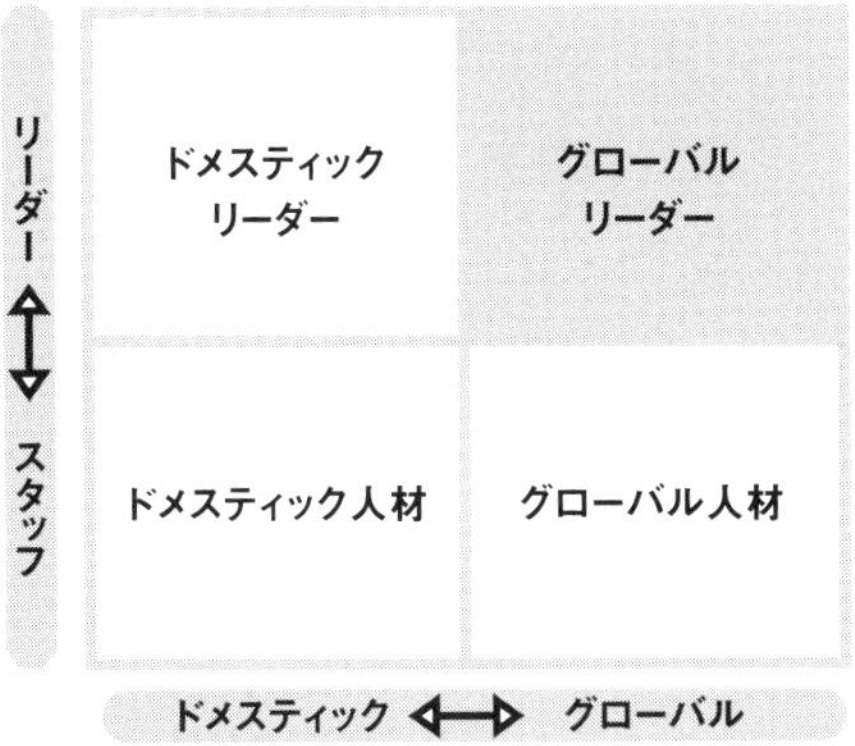

材という言葉を優秀なスタッフと解釈し、「日本国内における優秀な日本人スタッフ」は、現在でも確保できている、とします。
それに加え最近は「グローバル人材」の必要性が叫ばれています。これは、海外で働ける優秀な（日本人）スタッフのことのようです。図表11で言えば、左下だけでなく右下側の人材も必要だということです。
しかし私から見れば日本の最大の問題は、「優秀な人材は存在しているのに、優秀なリーダーが存在していない」ことです。日本を代表する家電メーカーがどこも巨額の赤字を出し、主力事業で何年も利益が出ないまま放置されている原因はどこにあるのでしょう。優秀なスタッフがいないからでしょうか。そうとは思えません。これらの企業には、技術者を中心として、多すぎるほどの優秀な人材が在籍しています。それなのに彼らの力は企業価値の向上にまったく活かされておらず、もったいないと思えるくらいです。

優秀な人材が（不要なほど）たくさん在籍して必死で働いているのに、企業として利益も出せず、未来も見えない状況に陥ってしまっている理由は、「グローバル人材」がいないからではなく、「優秀なリーダー」がいないからではないのでしょうか。

日本の人材に関する問題は、優秀な人材はたくさんいるのに、優秀なリーダーが不足していることなのであって、図表11で言えば、必要とされているのは下段の人材ではなく、上段のリーダーなのです。

グローバル人材を欲しがる日本企業は、今の日本におけるリーダーの不在を深刻な問題とは捉えていないように思えます。彼らが問題だと思っているのは「商品が、日本では売れなくなった」ということだけです。だから「外国語ができて、海外でも、日本と同じようにモノをつくったり売ったりできるグローバル人材が必要だ」と考えているのでしょう。

たしかに、日本の生産人口、若者人口は減り始め、日本市場だけでは売上を伸ばし続けることはできなくなりました。また、日本にある工場で製品をつくることもコストが合わなくなってきました。だから製造も販売も海外において、より積極的に行う必要があり、今まで日本でやっていたことを海外で行うためには、国内で活躍できる優秀な人材だけではなく、海外でも活躍できるグローバル人材が必要だという理屈は理解できます。
しかしそこには、リーダーが不在だから、リスクをとった思い切った判断ができない、リーダーが不在だから、意思決定のスピードが遅い、リーダーが不在だから、緊急時に右往左往してしまう、リーダーが不在だから、撤退すべき事業から迅速に撤退できず、ずるずると赤字を拡大させてしまう、といった問題認識はまったく感じられません。あるのは「日本市場が小さくなってきたから、海外へ出よう」という領域の変化に関する問題意識だけです。
本当に今の日本、そして日本企業に必要なのは、「外国語が話せ、海外でも自分たちで開発、営業、マーケティングなど、従来の事業オペレーションを粛々とこなせる人材」なのでしょうか？　そういった仕事は、現地の人ではなく、わざわざ外国人である日本人がやる必要のある仕事なのでしょうか？
そうではなく、必要とされているのは、
•海外で雇った現地社員を率いて、開発、営業、マーケティングなどの事業オペレーションを、海外でも回していけるリーダー
•海外で買収や提携した企業の社員とともに、事業企画や問題解決のプロセスを率いていけるリーダー

ではないのでしょうか？

「我々はそういう人を、グローバル人材と呼んでいるのだ」と言う人がいるかもしれません。しかし世界はそういう人をグローバルリーダーと呼んでいます。私には、なぜ日本がリーダーという言葉をここまで避けるのか理解できません。人材という言葉にリーダーシップの要素を含めて使っているのだとすれば、それは彼らがリーダーシップをとりたてて重要な資質だと考えていないからでしょう。

また、もしリーダーシップをもっていることも含めて「優秀な人材」と呼んでいるのなら、今の日本企業や組織は、「リーダーシップ不足」による問題にはなんら直面していないということになりますが、本当にそうなのでしょうか？

日本に足りないのはリーダーやリーダーシップであると同時に、「リーダーシップに関する、重要性や必要性の認識」です。そしてそのことを如実に表しているのが、昨今の「グローバル人材」という流行り言葉なのです。

「優秀な人」の定義の違い

このリーダーシップという概念を中心に、世界と日本では「優秀な人」の定義に、大きな違いがあります。どこの国でも画期的な商品の開発に成功した人や、高い営業成績を上げた人など、結果を出した人を後から優秀な人と呼ぶのは同じです。しかし「どのような資質をもつ人が優秀なのか」と問えば、そこにはかなりの違いがあります。

欧米における優秀な人の定義において、決して抜けることのない項目がリーダーシップです（ほかには、「クリエィティビティ」や「イニシアティブ」（自発的に声を上げ行動に移す態度）、「ジャッジメント」（判断力）などを挙げる企業も多いと思われます）。

ところが日本では、リーダーシップを優秀な人の条件として揚げる組織は、まだ多数派でさえありません。たとえば経済産業省が、二〇〇六年から「社会人基礎力」という概念を提唱し、これからの日本は三つの資質をもつ人材を育てることが重要だと強調していますが、この中にもリーダーシップという言葉は一切出てきません（**図表12参照**）。

国が育てるべきと提唱している人材像の概念の中に、リーダーシップという言葉がまったく出てこないというのは、今や世界の中で極めて〝ユニーク〟だと言えるでしょう。

経済産業省がリーダーシップではなくチームという概念をもち出しているように、日本の伝統的な組織はリーダーではなく、「チームや組織のメンバーとして適切な人材」を求めている

図表 **12** 社会人基礎力

社会人基礎力とは

「職場や地域社会で多様な人々と仕事をしていくために必要な基礎的な力」として、経済産業省が2006年から提唱

〈3つの能力／12の能力要素〉

前に踏み出す力（アクション）	考え抜く力（シンキング）
一歩前に踏み出し、失敗しても粘り強く取り組む力	疑問を持ち、考え抜く力
主体性 物事に進んで取り組む力	**課題発見力** 現状を分析し目的や課題を明らかにする力
働きかけ力 他人に働きかけ巻き込む力	**計画力** 課題の解決に向けたプロセスを明らかにし準備する力
実行力 目的を設定し確実に行動する力	**創造力** 新しい価値を生み出す力

チームで働く力（チームワーク）	
多様な人々とともに、目標に向けて協力する力	
発信力 自分の意見をわかりやすく伝える力	**状況把握力** 自分と周囲の人々や物事との関係性を理解する力
傾聴力 相手の意見を丁寧に聴く力	**規律性** 社会のルールや人との約束を守る力
柔軟性 意見の違いや立場の違いを理解する力	**ストレスコントロール力** ストレスの発生源に対応する力

経済産業省サイト　http://www.meti.go.jp/policy/kisoryoku/index.htmの資料に基づいて作成

ようです。具体的には図表12にもあるように、規律を守る人であり、状況を把握し、ストレスのコントロールができる人だというわけです。

加えて管理職の場合は、組織の隅々まで管理が行き届く人であり、部下の場合は、報告・連絡・相談など、組織内の情報共有をきちんと行う人なのでしょう。どんな立場においても、組織がうまく回るように気を配る人が日本では求められているのです。

日本企業で育てられた多くの人と会ってきた経験から、私には、日本の組織が優秀だと考えているのは、

- 専門性が高い
- 協調性があり、組織のルールを遵守する
- 迅速に正確な処理ができる

といった人のように思えます。

こういった人が優秀でないとは言いませんが、これらと欧米企業が考える優秀な人との間には大きな隔たりがあります。欧米にも専門性や技術力を評価する企業はたくさんありますが、

協調性や秩序維持、正確なプロセス処理を優秀な人の要件として挙げる企業は少ないでしょう。

また高い専門性も、リーダーシップを併せもってこそ評価される資質です。もちろんどの国にも、たった一人でラボにこもり、画期的な研究成果を出し続ける研究者はいるでしょう。しかし、大半の研究者は研究資金を得るため「自分の研究がいかに意義深いか」とアピールするマーケティング活動を求められるし、時には、企業との共同プロジェクトを率いることも求められます。

日本では何年も前からオーバードクター問題（博士号取得者が正規雇用のポジションに就けない問題）が発生していますが、これもリーダーシップ不足がその本質でしょう。

学生人口の減少が予想されていた日本において、人為的に博士号取得者を増やせば、全員がアカデミックポスト（教授職につながる助手などのポスト）に就けるわけではないことは明白でした。問題は、博士号を取った人たちが、なぜ大学以外の場所で正社員としての職を得られないのか、という点にあります。

一般に日本の企業は、深い専門知識をもつ人を高く評価します。それなのになぜ博士号取得者を積極的に雇わないのでしょう？　私はその理由を、彼らが「専門知識しかもっていないから」だと考えています。もし彼らが専門知識をもった研究者の卵ではなく、「専門知識をもって問題解決にあたることのできるリーダーシップ・ポテンシャルのある人」であれば、民間企業への就職状況はまったく違ったものになったはずです。

自分で研究内容をアピールしてスポンサーから資金を調達し、共同研究の可能性を探って民間企業と交渉し、時には海外の研究者も含め、一定規模以上のプロジェクトを率いてきた実績のある人なら、ぜひ雇いたいと考える民間企業もあるでしょう。実際にマッキンゼーを含め外資系企業は、そういったリーダーシップのある博士号取得者を積極的に採用しています。

欧米に比べて少なかった博士号取得者を増やすという方針は、決して間違ったものではありません。高度な知識をもち、高い付加価値を生める人を増やすための教育に投資をするのは、先進国として当然です。問題は、リーダーシップという概念がすっぽりと抜け落ちていたことです。日本には、頭のいい人が世の中を引っ張ってくれるという幻想がありますが、高い専門性も地頭のよさも、リーダーシップなしには活きてこないのです。

最初からリーダーシップの重要性を認識し、「グローバルに評価される成果を上げられる、リーダーシップをもった博士号取得者を増やす」という目標の立て方をしていれば、結果は今とはまったく違ったものになったことでしょう。

さらに、日本における「優秀な人」の問題は、チームで取り組むことで、個人で取り組むより高い成果を達成したという経験をもたない人が多いことです。この国ではむしろ優秀な人ほど「みんなでやるより自分一人でやったほうが早い」と考えています。

日本人はよく「アメリカは個人主義、日本は組織力」などと言いますが、これはむしろ反対です。日本では、高校、大学、大学院の進学は、ほぼ一〇〇％個人の成果によって決まりますが、アメリカの学校の大半は、入学時に提出させる資料において、過去のチーム体験、チームで出した成果、そのチームの中で自分が果たした役割や発揮したリーダーシップについて、詳細に問うてきます。

働き始めてからの人事評価も同じです。日本では、管理職以外は個人の成果に基づいてしか評価を受けていないのではないでしょうか。グループの成果を問われるのは管理職だけです。マッキンゼーにおいて、新人からパートナーまで、ほぼすべての評価が「チームの成果はどのようなものか」＋「あなた個人は、その成果にどう貢献したのか」という形で成果が問われるのとは対照的です。

現実の社会を考えた時、集団や組織を動かさずに成果を上げられることはほとんどありません。ところが日本では教育現場においてさえ、そういった経験を求められません。これでは社会に出た後も、組織を動かすなんて不可能です。

そもそも「みんなでやるより、自分一人で集中して取り組んだほうが高い成果が出る」と考えているような人に、ついていきたい人はいないでしょう。「自分一人ではなく、みんなの力を結集したからこそ、この成果を出せた」と考えるリーダーがまとめ上げた解を、人は他人事ではなく「自分がつくった仕組みだ」と感じます。そうやって初めて、実際の世の中で動く仕組みができあがるのです。

二〇一一年に起こった福島第一原発の事故対応にも、同じ問題が透けて見えました。原子力発電については、アメリカ、フランスが日本とともに先進的な技術をもっています。チェルノブイリ事故があったロシアからも、学べることがあるでしょう。しかし、日本の原子力行政を担当してきた経済産業省にも、当事者である東京電力にも、グローバルなチームで問題解決を率いた経験のあるリーダーの数は、ごく限られていたのではないでしょうか。

問題が発生した初期の頃、世界中が日本の対応に不信感を高めたのは、日本の当事者らが国際原子力機関（ＩＡＥＡ）や欧米各国の専門企業と「共に問題を解決する」という姿勢を見せなかったからです。彼らは終始、「自分たちだけでしっかり対応するから心配してもらわなくても大丈夫」とアピールし続けました。

自分たちだけで問題を解決することは、日本では「他人に迷惑をかけない、責任感をもった立派な対応」と見なされます。しかしこういった態度は、関係者の力を結集してチームで解決するのが当然と考える欧米からは、「何かを隠しているのではないか」と見えてしまいます。

福島第一原発の事故は、単なる日本の事故ではなく、世界中の原子力ビジネスや原発政策を左右しかねない世界の事故でした。自国の原子力政策にも影響が及ぶと怖れた海外の専門家が、共同で問題解決にあたりたいと考えたのは当然です。

高いストレスのかかる緊急時に、自分たちとは異なる組織の人たちと共同で問題を解決するのは容易なことではありません。こういった場面では、リーダーシップ体験の欠如は深刻な問題となります。多様なメンバーを擁するチームを率いた経験値の高い人たちが多ければ、もう少し異なる対応が可能だったのではないかと思えるのです。

カリスマリーダーではなく、リーダーシップ・キャパシティ

リーダーシップに関して明確にしておきたいのは、日本に不足しているのは「リーダーシップ・キャパシティ」だということです。これは、「日本全体でのリーダーシップの総量」を意味します。

つまり、日本の問題はカリスマリーダーの不在ではなく、リーダーシップを発揮できる人数の少なさにあります。少数の傑出したリーダーは、日本でも各界に一定数現れています。しかしこの国では、リーダーシップの総量がまったく足りていないのです。

日本経済は、長い停滞と衰退のトレンドから抜け出せず苦悩しています。そんな中、私たち

は国のリーダーである総理大臣を次々と取り替えています。総理大臣が短期間で入れ替わるテクニカルな理由は、政治制度に加え、毎月のように支持率を調査するマスコミの態度にもあるのかもしれません。しかしその根本的な原因は、国民が成果を出せない新首相を短期間で見限ってしまう点にあります。国民の支持がないと、「この首相では次の選挙に勝てない」と考える議員の離反が始まり、首相が短命に終わってしまうのです。では私たちはなぜこんなにも早く、新首相を見限ってしまうのでしょう。

私はその理由を、国民が「トップ一人を変えれば、短期間で一気に何もかもがよくなるはず」という幻想をもっているからだと考えています。有権者の中には「たった一人で日本の窮状を根本的に変えてくれるスーパーリーダーが現れるはず、存在しているはず」という意識があるのです。そしてそういう人が出てくるまで何度でも「今度の首相もだめだった……」と失望し、次々とトップを替え続けるのでしょう。

しかし、そんなことは誰にとっても不可能です。誰か一人、坂本龍馬のような人が現れても日本は決して変わりません（当時でさえ、坂本龍馬一人がすべてを変えたわけではありません）。一億人もの構成メンバーを擁する国が、たった一人の力で劇的に変わったりはしないのです。

最近では小泉純一郎氏が最もリーダーシップがあった首相だと見なされているでしょう。しかし彼でさえ、変えられたことはごくわずかです。現実的には、国全体どころか霞が関を変革するだけでも、もっと大量のリーダーシップが必要なのです。


一人の偉大なるリーダーを待ち望む気持ちは、誰かが、この大変な現状を一気に変えてくれるはず、という他者依存の発想に基づいています。自分たちは何もせずただ普通に暮らしていれば、いつか誰かスゴイ人が現れて、世の中をよくしてくれる、という救世主への期待です。私はこれを「スーパースターシンドローム」と呼んでいます。日本人にとってリーダーとはスーパースターであり、「神のような力をもった誰か」です。こういう人を待ち望む気持ちは、裏返せば思考停止と同じです。神頼みと何も変わりません。

現状を変えられるのは、神でもスーパースターでもありません。必要なのは、組織のあらゆる場所で、目の前の変革を地道に主導するリーダーシップの総量が、一定以上まで増えることです。

企業経営に関しても同じです。苦境に陥った企業が、末席の若手役員からトップを抜擢したり、外部から有名なトップを招いた時、他の役員や社員の多くが「お手並拝見」といった態度をとります。「あの人はスゴイ人らしい。この組織を変えてくれるらしいので、どんなもんだか見ていよう」といった態度です。もしくは「今度の社長はとても優秀らしいので、期待できるね」と他人事のような傍観の姿勢を示す人もいます。

結論から言えば、そんな人ばかりの組織において、どんな人がトップになっても、一人の力で根本的に何かを変えることはできません。新しい社長が何もかも解決してくれて、バラ色の未来をつくり出してくれることなど、起こらないのです。

変わることができるのは、「問題を解決し、今までとは異なる未来をつくり出すのは自分たちだ。それを率いてくれる新しいリーダーがやってきた」と考える組織です。この考えは「自分たち」が、自らリーダーとしての自覚をもっていることを示しています。会社の経営者一人だけがリーダーなのではなく、構成員の中にも、「自分がこの現状を変えていく」という意識をもつ人が一定数いて初めて、その組織は変わることができるのです。

私が「日本に足りないのはリーダーシップ・キャパシティだ」と表現する理由は、こうした、一人の天才的なカリスマリーダーを待望するスーパースター待望論と区別するためです。日本に足りていないのは、一人ですべてを変革できるカリスマリーダーではなく、あらゆる分野で働く、名もない数多くのリーダーだということを伝えたいのです。

苦境に陥った企業を立て直すことに成功するリーダーは、要となるポジションに、何人ものリーダーを外部から呼び込みます。さらに社内の若手社員から、リーダーシップ・ポテンシャルのある人を年功にかかわらず引き上げて、権限を与えます。こうやって組織の中に一定量のリーダーシップを確保して初めて、組織は変化を始めます。

もちろんその過程で、これまで年功や過去の実績によって役職に就いていた人たちは、権限のあるポジションから外されます。けれどそうやって、組織内に相当量のリーダーをもち込まない限り、大きな組織を短期間で変革することはできません。国も大企業も変革するために必要なのは、一人の卓越したカリスマリーダーではなく、リーダーシップをとる人の総量が一定レベルを超えることなのです。

非常時の混乱、財政難の根因となるリーダー不足

リーダーシップ・キャパシティの不足が特に大きな問題となるのが、非常時対応です。組織全体のリーダーシップ・キャパシティが不足していると、緊急時には深刻な問題が起こりかねません。

日頃から全員がリーダーシップをとっている組織では、洪水や暴動、大事故など、マニュアルでは対応できない大事件が起こった時にも、構成員の多くが、自らリーダーシップを発揮して問題解決にあたろうとします。

一方、常に上司の指示に沿って働き、日頃リーダーシップをとったことのない人たちで構成

される組織では、未曾有の危機に遭遇した時にも、誰も自ら何かを決めたり動いたりせず、ひたすらに上からの指示を待つことになってしまいます。

混乱した非常時には、〝上の人〟は多忙を極め、現場からも遠いところにいるため、迅速に適切な判断をすることができません。それでも現場にいる人たちは、普段から自分たちでリーダーシップをとって何かを決めていくという経験をしたことがないために、どうすればよいかわからず、（いつもと同じように）上の指示を待ち続けてしまうのです。

未曾有の災害では、知事や市長など決裁権者自身が被害に遭って、連絡がとれなくなることもあります。そんな中で部下たちが「この件は市長の決裁がないと決められないことになっている」と言い出せば、物事は何も動かなくなってしまいます。「私が責任をもつから、今はこうしろ」と、状況に応じて判断し、リスクをとって決断できる人がいないと、非常時の組織はすぐに機能麻痺に陥ります。

そして日頃からごく簡単なことで日常的にリーダーシップをとっていなければ、非常時に「自分で判断し、結果責任をとる覚悟をもち、指示を出せる人」、すなわちリーダーシップを発揮できる人にはなり得ません。普段はうだつの上がらないダメ会社員が、何かの時にスーパーマンのような活躍をするなどというのは、ドラマの中でしか起こらないのです。

「自助、共助、公助」という言葉があります。自助とは個々人が頑張って自分や自分の家族に必要なものを確保すること、共助はご近所などコミュニティで助け合うこと、公助は国の制度によって、助けが必要な人を支援することです。

貧しい時代には自助と伝統的な共助（町内会や農業共同体などでの助け合い）が基本でしたが、経済が発展すると、自助や共助のベースとなる関係性が解体する一方、さまざまな福祉制度が整備され公助が充実します。しかし最近はどこの先進国も、高齢化と財政難によりこれ以上の公助の拡大は困難です。そこで期待されているのが、新しいタイプの共助です。ボランティアやＮＰＯ、ネット上で価値観を共有して形成されるコミュニティもあるでしょう。

この「自助と公助」と「共助」には大きな違いがあります。それは、他のふたつと異なり、共助が機能するためにはリーダーシップの存在が不可欠だということです。自助とは血縁と婚姻に基づく相互扶助関係であり、公助は公的な資金を分配する制度です。そして共助とは、リーダーシップによって運営される助け合いのシステムなのです。

昔は村の世話役から名物町内会長まで、要となるリーダーが存在していました。そういった人がいなくなると同時に、伝統的な共助のコミュニティは崩壊したのです。新たなコミュニティが立ち上がるには、誰かが共助の仕組みをゼロから設計し、人を集め、運営が始まってからもさまざまに生じる問題の解決に、リーダーシップを発揮する必要があります。そして多くの人がリーダーシップを発揮して共助のシステムが増えていけば、私たちは財政負担なしに、より住みよい社会を築くことができます。

核家族の両親が、赤ちゃんが熱を出すたびに救急車を呼んでいたら、公助は財政破綻するでしょう。しかし、近所の子育て経験の豊富なおばさんがアドバイスをくれたり、ネット上のコミュニティで誰かがアドバイスをしてくれれば、暖かくして寝ているだけですむことも多いのです。

共助システムが増えれば増えるほど、公助への負担は少なくなります。反対に、リーダーシップの総量が不足する国では、何もかもお金と公的な制度で解決せざるを得なくなり、とめどなく予算が必要となります。

同じ構造が、地方の再生や経済運営でも見られます。リーダーシップが足りない（もしくは、ほとんどない）ため、公共事業のための補助金を求めたり、大企業の工場を誘致するしか、地方には雇用と資金を確保する方法がありません。

もしも、新たな特産品づくりや都会からの移住促進、海外からの観光客の呼び込み、教育改革などによる村おこし、町おこしを自力で試してみようというリーダーが、それぞれの分野に何人も現れれば、「頼れるのは補助金だけ」という状況から逃れられるはずです。

今後、公助に投入できる資金はますます乏しくなります。そうなれば、リーダーシップ総量の高低が、浮かぶ自治体と沈む自治体を分ける要素となっていくことでしょう。

このように、現在の日本で起こっているさまざまな問題の根底には、リーダーシップ・キャパシティの不足という共通の課題が存在しています。日本に足りないのは、専門知識でも技術力でもありません。地頭のいい人が足りないわけでも、日本人が勤勉さを失ったわけでもないのです。そうではなく、知識や思考力や勤勉さを総動員し、目の前の問題を解決していくためのリーダーシップを発揮できる人の数が、あらゆる場所において不足しているのです。

そして何よりも問題なのは、英語力不足問題と異なり、リーダーシップの総量が足りないという問題が、広く認識されていないことです。このため大学や企業においても、リーダーを体系的に養成しようという動きが出てきません。

日本ではなにかというとモノづくりを重視しますが、日本の大学には、モノづくりを直接に担当する技術者を育成しようという気はあっても、それらのモノづくり企業をマネジメント側から支えるリーダーを養成しようという意欲が感じられません。

リーダーというと、大半の人が卓越したカリスマリーダーを思い浮かべます。しかし日本にはスティーブ・ジョブズ氏こそいませんが、どの業界にも、どの世代にもカリスマリーダーは一定数、現れています。カリスマタイプのリーダーというのは育てるものではなく、出現するものなので、何もしなくても一定数は出てくるのです。しかし、重要なのはごく少数のカリスマリーダーではありません。社会のあらゆる場面で、自分の業務領域や身近なコミュニティの範囲において、大多数の普通の人が日常的に発揮する、「リーダーシップの総量」が足りていないのです。

Column

不幸な海外MBAへの企業派遣制度

欧米社会と日本の組織が求める人材像の狭間で、不幸な運命をたどっているのが、日本企業の人材育成制度のひとつである「企業派遣による海外留学制度」です。

一九八〇年頃から日本の大企業には、三〇歳前後の社員を社費で欧米のビジネススクールに送って学ばせるという制度が広まりました（公務員が国費でロースクールや公共政策大学院に留学する場合もあります）。

しかし大半の企業において、この制度がつくられた趣旨は、自社の社員に海外で何か価値あるものを学ばせたいということではなく、新卒学生を採用するためのマーケティング目的でした。バブル時期の売り手市場の就活マーケットの中で、「我が社に入社すれば、海外留学できる可能性がありますよ」と、学生に宣伝するためです。

このため、留学を終えて企業に戻った社員は、留学中に学んだことを仕事に活かせるわけでもなく、時には「留学できなかった他の社員とのバランスをとる」という理屈の下、復帰後はあえて望まない部署に配属されることもありました。

こんなことをすれば当然、留学後に退職する人が増えてきます。二年間を欧米の学校で過ごした人は、転職によってキャリアアップを実現していく欧米流のキャリア形成に触れ、海外や外資系企業では、実力に応じて若い時期からリーダーシップを発揮できる機会があることも知ってしまっています。

その結果、企業派遣生として留学しながら、卒業後に外資系企業に転職する社員が相次ぎました。これに慌てた日本企業は、留学制度の規模を縮小したり、転職が難しくなるよう、派遣する社員の年齢を引き上げたり、転職意識が高まるビジネススクールではなくロースクールへの留学しか認めないなど、次々と対策をとりました。

そこには、世界一流のビジネススクールで自社の社員をグローバルリーダーに育成し、自社の事業に貢献させたいという意識はありません。重要なことは、派遣留学制度に惹かれて優秀な新卒学生がたくさん応募してくることと、留学した社員が転職することなく、定年まで自社に忠誠を誓い続けてくれることだけです。

こうなると、派遣される社員の間では「退職さえしなければそれでいい」という会社の期待どおり、留学中の二年間を人生の夏休みと捉える人たちまで出てきます。

今や日本人の企業派遣留学生は、欧米ビジネススクールの中で極めて特殊な人たちとして認識され始めています。主体的なキャリア形成意識をもたず、卒業後にどんな仕事をするのかと尋ねると「辞令が出るまでわからない」と答える彼らは、海外の同級生らにとって驚愕以外のなにものでもありません。

さらに、海外生活に慣れた二年目が始まるやいなやゴルフと海外旅行に明け暮れるその姿は、他国の学生には極めて奇異に映ります。そしてこれが、一部のビジネススクールが近年、大手企業や霞が関からの派遣留学生に入学許可を出しにくくなっている背景の一部でもあります。

彼らが転職する先の企業のひとつで採用を担当していた私が言うのは不謹慎と思われるかもしれませんが、こんなに不毛な制度は早めに廃止すべきでしょう。せっかく日本の優秀なビジネスパーソンを海外で学ばせ、グローバルリーダーに育てる機会であるにもかかわらず、高い授業料を払って、このような誰一人として得るもののない制度になってしまっているのは、本当に無意味なことと思います。

第7章

すべての人に求められるリーダーシップ

日本全体のリーダーシップ・キャパシティを増やすために必要なことが、ふたつあります。

それは、リーダーシップというものが、
①すべての人が日常的に使えるスキルであること
②訓練を積めば、誰でも学べるスキルであること
を理解することです。

あらゆる場面で求められるリーダーシップ

日本では、大きなプロジェクトが行われることになると、すぐに「誰がリーダーになるのか

（なるべきか）」と話題になります。大事故が起こって深刻な問題の解決が必要になった際にも、難局を乗り切るために強いリーダーシップの必要性が叫ばれます。このように日本人にとってのリーダーシップとは、特殊な出来事が起こった時に必要なものという認識が強く、「日常的に誰もが発揮するもの」とは考えられていません。

そしてそういった重要なプロジェクトのリーダーになるのは、有名人であったり第一人者と呼ばれる専門家であったりと、傑出した人ばかりであるため、「一般の人はリーダーになる機会などない。リーダーシップは一般人には無関係なスキルである」、といった誤った受け止め方が定着しています。

しかし本来リーダーシップとは、そういった特殊なイベントを前提としない概念です。それは普通の人によって日常的に発揮される、ごく身近なスキルなのです。

たとえば、マンションの管理組合の会合にお菓子の持ち寄りがあったとしましょう。会合が終わり、帰り際になってもテーブルの上にはお菓子や果物が残っています。貸し会議室なので残していくわけにもいきません。お菓子の数は全員分には足りないので、ひとつずつ分けるのも不可能です。みんながそれらをすごく欲しがっているわけでもありません。

この時、「このお菓子、持って帰りたい人はいますか。お子さんがいらっしゃる方、どうぞお持ち帰りくださいな」と声を上げる人が、リーダーシップのある人です。

そんなつまらないことがリーダーシップだなんてと驚かれるかもしれませんが、これがまさにリーダーシップです。その場にいる人の多くは、机の上にお菓子が残ったままになっていても、「自分が声を上げるべき問題ではない」と考えます。これは「役職」の考え方です。「声を上げるべき立場の人、すなわち会合の主催者である管理組合長が問題を解決すればよい」と考えるのです。

こういった場面を目にした時の言動によって、人はふたつのタイプに分かれます。最初のタイプは、何らかの問題に気がついた時、「それを解決するのは、誰の役割（責任）か」と考えます。もう一方の人たちは、それを解くのが誰の役割であれ、「こうやったら解決できるのでは？」と、自分の案を口にしてみます。この後者の人を、リーダーシップがあると言うのです。

その場で「それは組合長が考えることだ」として声を上げない人の中には、そのお菓子を組合長が個人で持ち帰って孫にあげてしまったら、後から「ああいう行動はいかがなものか」、「公平性に欠ける」などと言い出す人もいます。ですが、そんなことを後から言うくらいなら、自分からどうすべきか、現場で提案すべきです。自分がリーダーシップを発揮することは決してないのに、結果に対して文句を言うのは無責任すぎます。世の中は〝誰かが〟うまくまとめてくれるのではなく、一人ひとりが力を出し合って、うまく回していくものなのです。

管理組合の会合の話では、リーダーシップを語る例としては不適切と思われるかもしれません。しかしこれが、災害発生時の避難所でのお弁当の配布に関してであれば、その意味はより明確になるはずです。

避難物資のお弁当は避難民の数より少ないかもしれません。数は足りていても、物資の数と人数の関係から、ある人にはおにぎり、別の人にはパンを配る必要があるかもしれません。

そんな時、どう配れば公平か決めてくれる役割をもった人、たとえば市役所の担当者や町内会長が現れて配布方法を決めてくれるだろうと考え、そういう人の出現をただ待つ人と、そういう人が見あたらないなら、自ら食料の配布方法を提案し、みんなの意見を聞いたうえで配布を始めようとする人がいます。前者は、役職的な思考の人であり、後者がリーダーシップのある人です。

このように問題の大小にかかわらず、リーダーシップを発揮する機会は日常的に存在しています。そして、日常的な場面でリーダーシップを発揮しない人に、大きなプロジェクトや、非日常の問題が勃発した際のリーダーシップを期待することなどできません。管理組合の会議の後片づけについて声を上げられない人が、緊急時の避難所でリーダーシップを発揮することは難しいのです。

私がいつも日本はリーダーシップを発揮する習慣がない国だと感じるのが、事故で電車が止まった時の対応です。人身事故などで電車が止まると、タクシー乗り場にはすぐに長い列ができます。

海外ではこういう場合、必ず誰かが相乗りを誘い始めます。こういった場合、一人一台のタクシーを使うことはとても非効率です。同じ方向に行く人が一台のタクシーを共同利用し、料金を分け合えば、時間もコストも節約できます。なによりも、すべての人が早く目的地に到達できるのです。同じ駅で電車を待っていた人ばかりなのですから、行き先が同じ方向である可能性も高いはずです。

ところが日本では、こういった場合でさえ、「私は○○方面に行きます。一緒に乗りたい方、いらっしゃいますか?」と声をかける人は極めてまれです。みんなもくもくと列に並びタクシーが来ると一人でさっさと乗ってしまいます。

これはいつも不思議に思います(私自身は自分が乗る際、後ろの数人に聞こえるよう声をかけます)。日本という国は、タクシーの乗り方を指示する役割の人が現れると、みんな素直に従い、相乗りをする国です。駅の係員が「非常に混雑しているので、皆様、相乗りにご協力ください」とアナウンスし、列の先頭の人に行き先を聞き、それを列に並んでいる人に、「○○方向の方、いらっしゃいませんか」と伝える。この方法なら、相乗りになんの文句も言わないのが日本人です。

ところが「そういうことをする役割の人」がいなければその役割を自分でやろう、という気もまったくないのが、この国の人の特徴です。問題を解決するのは「それを責務として割り当てられた役目の人の仕事」であって、自分がそんなことをやるべきではない、やる必要はないと思うのでしょう。

列に並ぶ人の中にも、心の中では「他の人に声をかけるべきかも」と考えている人がいるに違いありません。けれど、日頃からリーダーシップを発揮したことがない人にとっては、見知らぬ人の前で「タクシーの効率的な乗り方についてリーダーシップを発揮する」のは恥ずかしく、慣れていなくて怖いことでもあり、最初の一歩が踏み出せません。とっさの一声が出せないのです。だからみんな黙って粛々と長い列に並び、一人一台のタクシーに乗っていくというわけです。

このように、リーダーシップは常に問われているし、日常的に発揮すべき機会があります。このため特定の人にリーダーシップがあるかどうかは、大きなイベントのまとめ役をやらせなくても、一日一緒に仕事をすればすぐにわかります。

さらに言えばリーダーシップという概念は、グループの存在さえ前提としていません。二人だけで話していても、リーダーシップをとる人と、とらない人がいるのです。

二人で仕事の打ち合わせをしている際、物事を前に進めるための質問や確認、まとめを行い、話題がずれれば本題に戻し、時間を管理して必要なトピックを一定時間以内にすべてカバーできるよう、ガイドしながら話をするのがAさんで、Bさんは質問に答えながらあちこちに好き勝手に話を飛ばして気持ちよく話している、というような場合、このミーティングにおいてリーダーシップをとっているのはAさんである、と言えます。

打ち合わせが始まった直後に「今日のこの打ち合わせで、やるべきことはいくつあるんでしたっけ?」と確認し、「じゃあ、こっちの問題から始めて、最後にこれについて相談しましょう。全体で一時間くらいですみますよね」と段取りを決めてしまうのが、二名の話し合いにおけるリーダーシップです。

このようにリーダーシップは、特別なイベントがなくても、大勢の人が関わらなくても使われる、ごく日常的なスキルでもあるのです。そして今は卓越したリーダーシップを発揮している人も、最初はそういったごく小さな機会から少しずつそれを身につけたのです。

上司の判断を仰がない若手コンサルタント

皆さんの会社に、こんな会議はないでしょうか。週に一度行われる部門横断的な大会議。三時間くらいかけて、各部門が担当の業務の進捗について報告します。ところが、ある部門の人が報告している間、聞いているのは役員のみで、他部門の担当者は自分の報告の順番を待っているだけです。

ひとつの部門の仕事内容について全部門で話し合うわけでもなく、情報共有が目的なら後から議事録や資料を見ればいいだけなのに、全部門の人が毎週三時間、拘束されます。多くの人が、ムダな時間だと感じているような会議です。

この会議に関して「毎週文句も言わずに粛々と出席する」、「時間が無駄なので、手元の資料やPCで他の作業をする」というのが、リーダーシップのない人です。

これに対し「会議のやり方を変えたほうがいいのでは？」と、主催者をランチにでも誘って非公式に提案するのが、ひとつのリーダーシップのとり方です。さらに会議の中で「この会議はやり方を変えてはどうでしょう？」と提案するのが、もうひとつの、より強いリーダーシップの例です。

会議の主催者に非公式に提案するのは、極めて日本的な「役職とリーダーシップの折衷案」です。問題解決はその役目を担う人が行うべきだが、その人が気がついていないなら知らせてあげよう、という方式です。この方式が悪いとは言いませんが、多くの人はその後も改善策がとられない場合、それ以上のアクションは起こしません。自分が指摘した後も、その役目にある人が問題解決をしないなら、自分が何かをする立場にはない、と考えるからです。

しかしリーダーシップのある人は、「この問題を自分が解決できるかもしれない」と思えば、声を上げることに躊躇しません。そして日本でも、その役割にない人がリーダーシップを発揮した場合、提案内容さえまともであれば受け入れられることが多いのです。もちろん一瞬、「あの人、すごいなー」と、なにか奇異なことをしているかのように見られるでしょう。しかし、そんなことが査定にまで響くような企業はほとんどありません。にもかかわらず、誰も声を上げないのです。

一方、マッキンゼーの仲間と行動を共にしていると、日常的なトラブルでもすぐに誰かが声を上げ、提案します。宴会の出し物で音楽がかからない、必要な小道具が揃っていないなどのトラブルが起こり、主催者側が戸惑っていると、観客側から「ゲームのルールをこう変えたら、小道具が足りなくてもゲームはできる」などと言い出す人が出てきます。「問題を解決するのは、イベントを企画しているスタッフの役目」、などという役割意識はありません。よりよいと思える方法があれば、すぐに声にする。それは常日頃からリーダーシップを発揮することを求められているメンバーにとって、ごく自然なことです。

数年前、マッキンゼーの卒業生が集まる大きなイベントがあったのですが、そこで元パートナーを含め五名の卒業生によるパネルディスカッションが企画されていました。最初に一人ひとりが意見を述べ、次に五名でディスカッションをする予定でしたが、みんな話が長いため、五名の意見表明が終わったところで残り時間はあと五分になっていました。

するると、司会を務めていた若手コンサルタントは会場に向かって、「みなさん薄々お気づきだと思いますが、残念ながらディスカッションを行う時間はもうありません。したがって、パネルディスカッションはこれにて終了とさせていただきます。パネリストの皆さん、どうもありがとうございました！」と言って締めてしまいました。会場は大爆笑し、パネルのメンバーも苦笑いです。

実は私は、時間が足りなくなるだろうと予想した瞬間から、このイベントの司会をしている若手コンサルタントに注目していました。彼がこの状態をどう収めるか、誰かに対応策を相談するだろうかと見ていたのです。しかし彼は誰とも話をしませんでした。

考えてみてください。パネルとして壇上に招かれているのは、元パートナーなどの大御所で、司会の若手コンサルタントよりかなり目上の人たちです。それでも彼は誰にも相談せずに「時間がないから打ち切り」と決め、それを会場に伝えました。これがリーダーシップです。

後から、パネルとして招いた元パートナーに、その不手際を責められるかもしれません。もしくは上司から「時間なんてオーバーしてもいいからディスカッションを続けるべきだった」と言われるかもしれません。彼にリーダーシップがなければ、パネルの人たちが話している間に上司を捜し、指示を仰ごうとするでしょう。もしくは、話が長くなったのはパネリストの責任なのだから、時間をオーバーしても予定通りディスカッションを続けたかもしれません。

しかし彼は、自分がやるべきことを自分で判断し、それによって起こるかもしれない非難や苦情は自分で受け止めると決め、誰にも相談せずにこの判断をしました。上司に判断を求め、その指示どおりにしておけば、後から出てくる苦情は上司に流せます。自分の責任にはなりません。しかし、それをしないのがリーダーシップなのです。

「司会者として達成すべき成果は何か」と考え、そのためになすべきことを自分で決め、その結果、外部から寄せられるであろう意見や苦情も自分が引き受ける覚悟をして、みんなにその決断を伝える。三〇歳そこそこの若手社員が、何十歳も年上で元パートナーのパネリストを相手に、誰にも相談せずにこういった判断ができるのは、まさに訓練の賜と言えるでしょう。

リーダーシップは学べるスキル

リーダーシップに関してもうひとつ理解すべき大切なことは、それが問題解決スキルと同じように、学べるものだということです。生まれつきリーダーシップのある人とない人に分かれているわけではなく、スポーツや勉強を学ぶ時と同じように、座学と実技を交えて体験し、失敗したり成功したりしながら学んでいくものなのです。

「彼はリーダーシップがある」とか「あいつにはリーダーシップのカケラもない」と言うと、特定の人には元からリーダーシップが備わっている一方、それらをまったくもたない人が存在するかのようにも聞こえます。しかし本来は、「彼のリーダーシップはいまだ十分なレベルではない」とか、「彼女にはまだリーダーシップ経験が不足している」と言うべきなのであり、それをどう鍛えていけばいいのか、と考えるべきものなのです。

アメリカのビジネススクールでは、リーダーシップは基本的な授業科目のひとつであり、マッキンゼーのような企業では、（リーダーシップ・ポテンシャルを重視した採用を行うことに加え、入社後においても）リーダーシップを鍛えるための研修が頻繁に行われています。これらは、「リーダーシップとは、学び、鍛えるべき資質である」（＝Trainable なスキルである）というアメリカ社会の認識をよく示しています。

日本でも他の科目と同様、学校で週に一時間リーダーシップについて学べば、全員がそれなりの力をつけることができるし、就職してから会社で一定量の研修を受け、日常的な仕事で実践しながら三年も働けば、大半の人が相応なリーダーシップを身につけることができます。

もちろん、どれだけ練習を重ねても料理がうまくならない人もいるし、いくら時間をかけても物理が理解できない人もいます。特定の科目が苦手な人がどの分野でも存在することは、リーダーシップにおいても同じです。また、同一の訓練を受けてもすぐに巧くなる人と、なかなか上達しない人がいるのも、他の科目や分野と同じです。ある人は何回か訓練を受けただけで卓越したリーダーシップを発揮するようになるし、他の人はそうなるまでに何年もかかります。

しかし、それは決して天賦の才でも、何十年も生きている間に自然に身につくものでもありません。全員に一定レベルのリーダーシップをつけさせるという明確な目標の下、学校や企業で理論を教え、それを発揮する実地訓練も行い、それぞれの出来具合（リーダーシップのパフォーマンス）についてフィードバックを行うという、一般的なスキル習得のプロセスを経れば、日本人の多くが、今よりはるかに高いレベルのリーダーシップを身につけることができるのです。

日本人には、自分はリーダータイプではないと思い込んでいる人もいます。押しが弱いとか、目立つタイプではない、あまり強くモノを言うのが好きではない、子供の頃から委員長にもキャプテンにも選ばれたことがない、などと考え、自分はフォロアータイプだと自ら言う人がいるのです。これは、リーダーシップを極端に狭く定義し、「リーダーとは特殊な人である」とする誤った思い込みからきています。

そういった人も、手順を踏んでリーダー役を経験することにより、自らに適したスタイルが存在すると気がつき、「自分にもリーダーとして成果を出し、みんなのために貢献することが可能であるらしい」と理解し始めます。そして次第に、リーダーシップを発揮して成果を出し、周囲から感謝されたり評価されることは、自分にとっても、とても嬉しいことだと感じるようになるのです。

大きな問題が発生した時に颯爽とリーダーシップを発揮する人や、トラブルに陥った大企業を華麗に再生させる偉大なリーダーを見ていると、そういった人が、自分とはまったく違う資質をもって生まれてきた特殊な人に見えます。しかし、深刻な問題が発生した時に、生まれて初めてのリーダーシップを発揮するような人は存在しません。彼らも最初は、日常的で些細な場面で経験を積み重ね、それが蓄積していざという時の強力なリーダーシップにつながっているのです。

リーダーになるために、神がかったカリスマ性や生まれながらの卓越した能力、溢れるような人間的魅力が不可欠というわけでもありません。リーダーとは何をすべき人なのか、そのためにどう振る舞うべきかを理解し、小さな場面でそれらを体験して成功体験を積み重ねることにより、ごく普通の人がリーダーとして活躍できるようになるのです。

私はマッキンゼー時代に、採用した学生や若手社会人が、入社後に大きく成長していく様子を見てきました。なかでも顕著に変わるのがリーダーシップです。コンサルティングファームで働くことで身につくスキルといえば、問題解決スキルが挙げられることが大半ですが、それと同等以上にリーダーシップに関して彼らは大きく成長します。

特に日本人の多くは、それまでにリーダーシップ教育を受けたことがほとんどないため、リーダーシップを伸ばすために設計されたＯＪＴ、ＯＦＦ ＪＴの研修を集中的に受けると、急速にその力を伸ばします。「我が社にはリーダーシップを発揮できる社員がいない」などと嘆く前に、まずは、全員にリーダーシップ教育を行う体制を整えればよいのです。

多くの日本企業にとって、いまだにリーダーシップとは、「仕事をしているうちに自然に身についていくもの」であり、教育や訓練で身につけるものではないのでしょう。もちろんそういった方法でも、一定数のリーダーは育ちます。しかしそれでは、必要な数のリーダーを一定期間内に確保することが難しいのです。

欧米だけでなく、中国や韓国でさえ今や日本よりもずっとリーダーシップを重視しています。このままでは社員の国籍に重きをおかない外資系企業では、アジア市場で現場を任せるマネジャーには、強力なリーダーシップをもった中国人、その下で働くスタッフには、仕事が丁寧で従順な日本人を採用しようという事態になってしまいかねません。

分散型意思決定システムからの要請

昨今さまざまな世界において、より多くの人にリーダーシップが求められつつあります。ここではその背景である外部環境の変化についても、触れておきましょう。

日本では長い間、中央集権的な体制が続いてきました。中央集権体制の末端には、〝お上〟の言うことを従順に聞き、言われたままに実行する優秀なオペレーターが適しています。中央集権体制とは、求められるリーダーシップ・キャパシティが極めて少ない、上意下達を旨とする体制なのです。

日本でそういった体制が長く続いてきたひとつの理由は、経済が発展途上期であったということです。中央集権型のシステムは、ニーズが画一的な世界に向いています。貧しい時代から急速な近代化、経済成長を目指す段階では、人々のニーズは極めて似通っています。みんな、衛生的な環境や安定した電力供給、最低限の食料に基礎教育、ごく基本的な生活家電などを欲しがります。そういった社会では、ごく少数の人が制度や商品を設計し、大量生産して同じモノを全員、もしくは全地域に届けるという方式が向いていました。

また、必要となるリーダーの数が少ないことも時代に向いていました。昔は高等教育を受け

図表13　中央集権的な意思決定システム

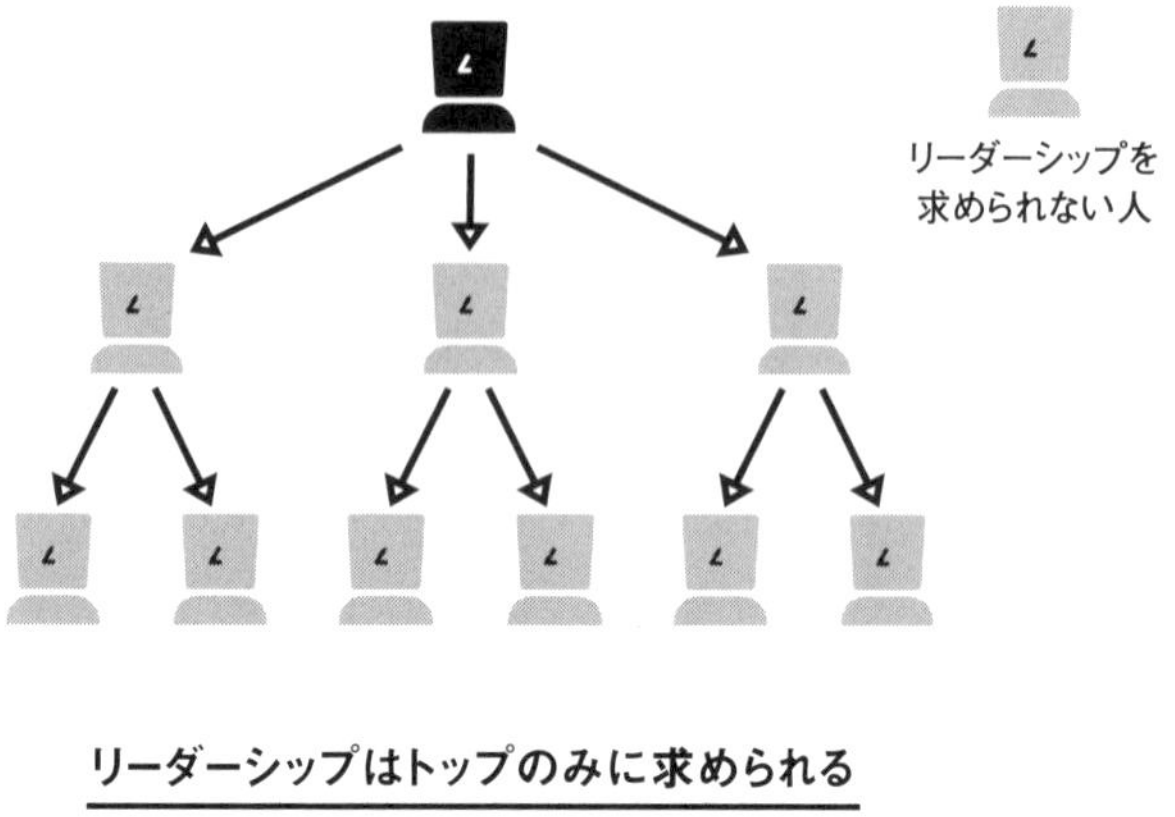

た人が少なく、リーダーとなれる人の数が限定的だったため、そういう人を中央に集め、彼らがすべてを決めて、全国の人はそれに従うという方式しかとれなかったのです。
これまで日本人が「リーダーはひとつの組織にせいぜい数人もいれば十分」と考えてきたのも、これまでの日本が、中央集権的な体制で発展してきたことと無縁ではないでしょう（**図表13**参照）。
今や日本は豊かな国となり、人々のニーズは一気に多様化しています。利便性を求める人、不便でも自然なものを欲しがる人、高くても質のいいものが欲しい人もいれば、安くて手軽なものを求める人もいます。豊かになると、トップでスペックを決めて、大量生産

図表 14　分散型の意思決定システム

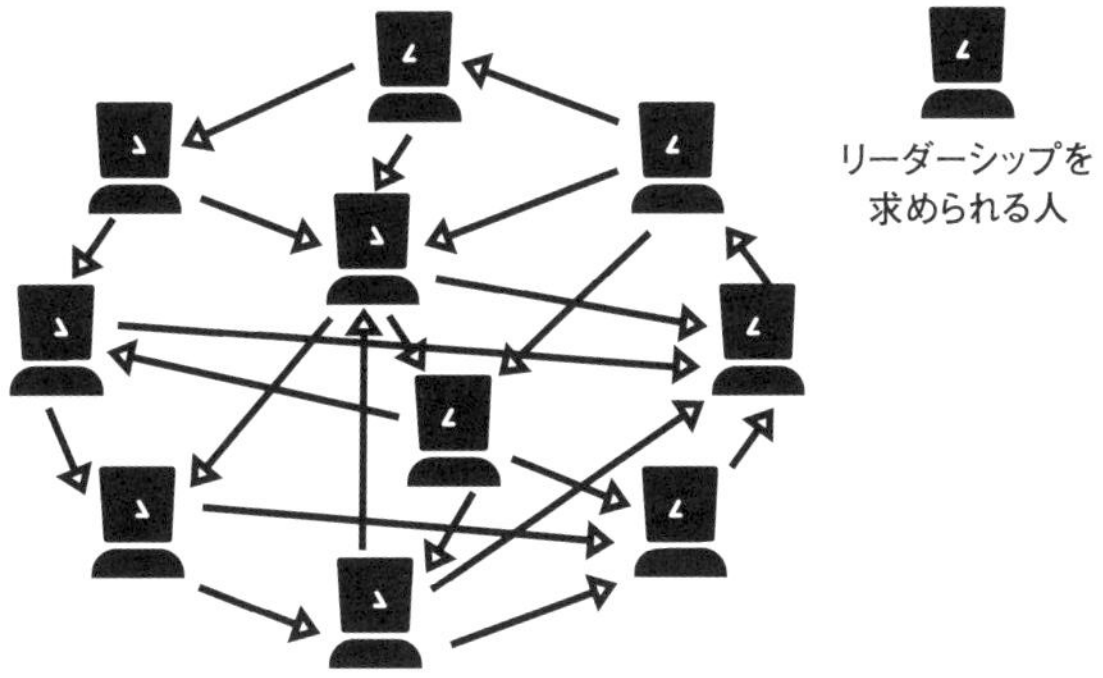

して同じモノを全地域に届けるという方式では、ニーズが満たされない人が増えてきます。
しかし、各地で異なるニーズをくみ上げ、それぞれに合った製品やサービス、制度を開発し、提供しようとすれば、それぞれの地域や部門にもリーダーが必要となり、必要なリーダーの数が激増するのです（**図表14参照**）。
一方、豊かになった社会では高等教育が行き渡り、以前とは桁違いに多くのリーダーシップ・ポテンシャルをもつ人材が生まれています。このことは、分散型の意思決定システムで社会を運営することが、可能な時代になったことを意味します。
マッキンゼーをはじめ、グローバル企業が

リーダーシップを重視した採用をするのは、世界中の人たちのニーズをくみ上げ、それぞれから求められる製品やサービスをタイムリーに提供していくためには、分散型の意思決定システムが不可欠だと考えていること、そして、その巨大なシステムを運営するためには、世界中に多数のリーダーが必要だと考えているからでしょう。

今や、現場が集めた情報をすべてアメリカにある本社に持ち帰り、検討してひとつの結論にまとめるなどという中央集権方式をとっていては、世界の顧客の要望にタイムリーに応えることはできません。組織のあらゆる部分にリーダーシップを発揮できる人材を配置し、組織の隅々で必要な決定が行える体制をつくり上げることが、世界中でビジネスを展開する企業には不可欠になりつつあるのです。

また、新興国市場が急速に拡大しているため、ゼロからそれらの国でオペレーションを立ち上げていては間に合いません。時間を買うために、国を超えた企業提携や買収も盛んになっています。買収した企業との協業を速やかに進めるためにも、多数の現場リーダーが必要になります。こうして、グローバル企業の採用基準におけるリーダーシップの重要性は、年々高まっているのです。

国のレベルでも同じです。世界は今、あらゆる面でつながり始めており、一国が政策を変更すれば、資本も企業も、これからは個人さえも国境を越えて移動します。世界の資金がつながり、日本だけでデフレを克服するのも難しいし、環境問題も近隣諸国が共に取り組まないと解決できません。感染症の防止やテロ対策には、密接な国際連携が必要になります。

そのような世界では、強大な経済力と軍事力をもつ少数の先進国が方針を決め、世界中の国を従わせて問題を解決するというやり方はもはや通用しません。サミットの参加国がどんどん拡大していることが示すように、今後の世界の行く先を決める意思決定システムも、分散型に移行しつつあります。

みんなで話し合って物事を決め、協業して進めていく分散型意思決定システムの世界では、それぞれの国に数多くのリーダーが必要になります。貿易のルールも金融のルールも人権に関するルールも、主要数カ国のトップ会談で決まるのではなく、すべての国で協議して決めていくのです。

日本ではTPPに関しても「参加したら、国際交渉でアメリカに押し切られ、日本は不利益を被る」という理由で反対する人がいて驚かされます。なぜそうではなく、「国際交渉の場で、きちんと自国の利益を確保できる人材を育成することが急務である」という発想にならないのでしょうか。話し合いに参加したら不利益を被るから参加しないなどと言っていては、国際社会のメンバーとして認知されなくなってしまいます。

このように世界では、ますますリーダーシップが重要になりつつあるのです。そしてそれは誰でも、訓練を積めば身につけられるスキルなのです。大学や大学院はもちろん、中学校や高校でも、子供たちに日常的にリーダーシップを発揮する習慣を身につけさせるべきでしょう。経営者や政治家を目指す人だけでなく、あらゆる人が日常生活の中で自分なりにリーダーシップを発揮する社会となり、「誰かが決めてくれるのを待つ。誰かが決めてくれたらそれに従う」のではなく、「自分たちで話し合って決めていく、そのリードを自分がとろう」という姿勢に変わるだけで、社会のあり方は大きく変わっていくはずなのです。

Column

リーダー養成に最適なNPO

最近は災害復興や社会的弱者支援などの分野において、日本でも多くのNPOが活動を始めています。あまり明示的に語られることがありませんが、NPOはリーダーシップ養成機関として極めて優れた特徴をもっています。

そもそもNPOは誰かの強力なリーダーシップがないと、設立もされないし、規模拡大や継続的な運営も不可能です。リーダーシップなくしては、活動に必要な人もお金も集めることができません。このためすべてのNPOは、最低一名の強力なリーダー（設立者）を擁しています。

NPOを自らのリーダーシップによって立ち上げた人は、自分が達成したいと考える成果（志）を明確に意識しています。他者とのコンフリクト（摩擦）やさまざまな障害と出くわすことも厭わず、その成果を達成することに強い意欲をもっています。つまりNPOは、リーダーシップと成果目標がセットになって、初めて設立されるのです。

NPOが活動を始めた後に集まってくる参加者たちは、必ずしもその時点ではリーダーシップをもっているわけではありません。しかしNPOの組織は通常かなり小さいので、それら一般の参加者も、設立者である卓越したリーダーの言動をごく身近に見ながら活動することになります。

彼らの中には、この経験を通して初めてリーダーシップの存在を認識する人も多いはずです。さらに活動を通して、メンバーの多くがリーダーを尊敬し、憧れ、ロールモデルとして意識するようになります。リーダーとは具体的に何をする人なのか、といった方法論も学び始めます。こうして、当初はボランティアとして参加した一般のメンバーが、次第にリーダーの行動や考え方に影響を受け、ある時から自らリーダーシップを発揮し始め、新しいNPOを設立するようなこともよく起こります。

NPOには、それ以外にも、リーダー養成機関として優れた特徴があります。それは(国際的NPO、NGOのように相当に大規模な団体にならない限り)、企業にはつきもののがっちりとした組織構造がNPOには存在しないということです。

そこには課長も部長も存在しないし、所属部門間の壁や、明確な職務分担の取り決めもありません。このため役職がリーダーシップと混同されることもなく、リーダーシップを発揮する人がそのポジションに就く、という極めて自然な形で組織統治が行われます。

これが人をリーダーに育てます。企業であれば、「課長になったからリーダーシップを発揮しなければ」と考える人がいますが、ＮＰＯでは「自分がやるべきだと思うから」リーダーシップを発揮する人しか存在しません。そしてそれを目にする新たなメンバーも、「リーダーシップとは、自分がやるべきだと考えることを実現するために、自ら発揮すべきものなのだ」と理解します。

ＮＰＯは組織の形が固まっておらず、役割も固定的でないため、大規模な企業や組織よりも、はるかに効果的なリーダー養成機能をもっているというわけです。

最近は多くの学生がボランティアに参加し始めています。彼らはリーダーシップ訓練としてそういった活動に参加しているわけではありません。純粋に社会へ貢献したい、困っている人に何らかの支援をしたいという気持ちから参加するのでしょう。しかしそれらの機会が、実は極めて優れたリーダーシップ養成のチャンスであることを、ＮＰＯ主催側と参加する側の双方が意識していれば、学びはさらに加速するはずです。

リーダーを育てる、リーダーシップについて学ぶことが、ＮＰＯ主催や参加の理由のひとつとなり、社会人になる前に、それらを実地に学んでおく学生が増えることは、大変に意義深いことだと思います。

終章

リーダーシップで人生のコントロールを握る

最後に、視点を個人に戻しましょう。私は、国のため、社会のためにリーダーシップを身につけろ、と言っているわけではありません。たしかに多くの人がリーダーシップを身につければ、企業も社会も変わるでしょう。しかしリーダーシップを身につけることで何よりも変わるのは、当の個人のキャリアであり、生き方です。

最初は仕事のためにリーダーシップをとることを促され、その訓練を受けた人が、途中から「より強いリーダーシップを身につけたい」と自律的に考え始めます。なぜそういった気持ちの変化が起こるのか、不思議に思われる方もあるでしょう。

どんな場面であれリーダーシップを発揮するには、それなりのエネルギーが必要です。成果を出すために個人の時間を犠牲にせざるを得なかったり、他者の過ちの責任を問われたり、無用ないざこざに巻き込まれることもあります。さらに日本では、リーダーとして目立つだけで、あれこれ叩かれがちです。そのような中でたとえ「リーダーシップは全員に必要なスキル」などと言われても、積極的に身につけたいとは思わない人がいるのも理解できます。

ところがマッキンゼーに入社した人を見ていると、数年も働くうちにほぼ全員が、リーダーとして、もっと力をつけたいと考えるようになります。リーダーシップをとることが責務でも負担なことでもなく、できるようになりたいこと、やりたいこと、さらには、楽しいこと、ワクワクできること、として認識されるようになるのです。

これはマッキンゼーに入社する人に特有の変化ではありません。日本企業の中でリーダー体験を重ねた人や、NPO団体に参加し、パワフルなリーダーの近くで活動し、見よう見まねでリーダーシップをとり始めた人も、同じような変化を見せます。みんな、実際の体験を積むうちに、考え方や意識が大きく変わっていくのです。

問題が解決できる

最初に人がその意義を理解するのは、「リーダーシップにより、自分が気になっていた問題が解決できる」と実感した時です。社会にはおかしなこと、不満に思えることがたくさんあります。ニュースを聞いているだけでも、憤りを覚えること、なんとかしたいと感じることは溢れているし、職場や学校など、身近な場所でもそういった機会に遭遇することはよくあるはずです。孤立しがちになり学校を休み始めた同級生が、自分が勇気を出して何度か仲間に誘ったことによってふたたび笑顔で登校するようになったり、杖をついたお年寄りが電車に乗りこんできた時に、座っている乗客に席を少しずつ詰めてもらえるよう声をかけたりすることで、私たちは自分が気になっている問題を解決することができます。

何らかの問題を認識した時、それを傍観することしかできない自分と、解決の糸口を見つけ、問題を解決できる自分を想像してみてください。特に、大きな問題意識を感じさせられる事件がごく身近で起こった場合、自身にその事態を解決する力がないと認識することは、つらいことのはずです。

そういった問題に対処する力をつけたいと考えた人は通常、問題解決の手法を勉強しようとします。自分が問題を解決できないのは、そういったスキルがないからだと考えるのです。しかし思考の手法やフレームワークをいくら学んでも、自分の身の回りにある具体的な問題を解決することはなかなかできません。なぜなら、世の中の大半の問題の解決には、他者やグループ、組織を動かすことが必要で、そのためにはリーダーシップが不可欠だからです。

もちろん問題の解決には、リーダーシップ以外にも分析力、技術力、専門性や先見性などさまざまな能力が必要となる場合も多いでしょう。しかし、それらすべてを一人の人間がもっている必要はありません。リーダーシップを発揮できる人が、そういった能力や知識、資質をもつ人を集め、チームとして率いることで、問題は解決できるのです。

リーダーは参謀として地頭のいい人を使うことができますが、「頭のいい人が、リーダーシップのある人を参謀として登用し、成果を出す」というのは、概念上あり得ません。だからこそ問題解決のためには、頭がよいことより強力なリーダーシップをもつことのほうが、はるかに重要なのです。

成長が実感できる

リーダーシップ体験を積み重ねていくと、自分で解決できる問題の範囲や規模はどんどん拡大します。最初は身近なグループの問題しか解決できなかったのに、次第に部署全体、会社全体、コミュニティ全体を変えるだけの力が身につきます。継続的にリーダーシップ体験を積むことにより、自分ができることの範囲がどんどん広がっていくという、成長の実感が得られるのです。

誰もリーダーシップをとらない組織に長くいると、「リーダーシップをとるなんて馬鹿げている」、「そんなことをすると損をする」、「目立ちたがり屋の人がやることだ」などの否定的なイメージを抱きがちです。

しかし、誰もが積極的にリーダーシップを発揮し、どんどん問題を解決していく姿を日常的に見る組織では、多くの人はリーダーに憧れるようになります。問題を解決していく人を見て、単純に「かっこいい！」と感じるし、自分もそういう力を身につけたいと思います。リーダーシップの総量、リーダーの絶対数が少ないと、周りによいお手本が見つけられず、憧れる人も現れませんが、社会によいお手本の量が増えれば、それに憧れる人が増えるという好循環が起こり始めるのです。

できることの範囲が広がり、今までできなかったことができるようになり、自分の成長を実感できることは誰にとっても大きな歓びです。料理でも得意メニューが増えれば嬉しいし、登山を楽しむ人なら、より険しい山に登れるようになることで、より大きな達成感が得られます。どんな分野でも、努力と経験を積むことで、自分のできることの範囲が広がれば、人は自身の成長を実感できます。そうなれば周囲から感謝される機会も増え、評価も高くなります。それが、次の機会でもリーダーシップを発揮しようという動機につながるのです。

リーダーシップに関しては、目標はほぼ無限に大きくできます。世の中には問題が溢れていて尽きることがありません。「問題を解決して目標が達成できたので満足した。ほかには何も解決したい問題はない」というような状況にはまずなりません。

リーダー体験を積み重ねて数年もたてば誰でも、過去には考えられなかったような大きな問題を解決できるようになります。そうなった時、多くの人は「これで満足だ」ではなく、「ここまでできるなら、あの問題も解決できるかもしれない」と考え始めるのです。

自分の世界観が実現できる

盤石に見える組織に雇ってもらえることは、就職状況の厳しい今のようなご時世においては、当人にとっても家族にとっても重要なことなのでしょう。有名企業や入社が難しいとされる企業から内定をもらえれば、飛び上がるほど嬉しい気持ちもわかります。しかし、それはしょせん「雇ってもらう」という世界の中での話です。

組織に雇われた人は入社後、その組織の目標達成に貢献するため、全力を尽くすことが求められます。もちろんマッキンゼーも例外ではありません。志望企業に入社し、自分のやりたい仕事ができ、さまざまな学びがあり、満足できる報酬が得られたとします。それでも、所属企業の目標と自分の達成したいことが、定年までの四〇年間、ずっと同じであるという人も、所属企業のやっていることは、すべて自分の価値観と合っている、という人もほとんどいないはずです。よい悪いではなく、組織の規模が大きくなればなるほど、組織と所属する個人が目指すものを、完全に一致させることなど不可能です。

一方、自分で起業するなり、志をひとつにする仲間と共同でプロジェクトを始めれば、そこでは、自分たちの世界観に基づいて仕事をすることができます。自分たちが考える理想の組織をゼロからつくることもできるし、「これぞ我々が取り組むべき」と信じられる仕事を、中心的な業務にすることもできます。そういった働き方を可能にするものこそが、リーダーシップなのです。逆に言えば、リーダーシップをもつ人だけが、そういった働き方を実現できるのです。

仕事だけでなく、NPO活動やボランティアでも同じです。既存のボランティア団体に参加して活動することも、大きな意義があるでしょう。しかし自身でボランティア団体を立ち上げることができれば、自分が最も切実に助けたいと感じている人や分野に焦点をあてた支援活動ができるようになります。自身が信じる原則や思想を、ダイレクトに組織の運営方針に反映させることも可能です。

リーダーシップを身につけると、自分の仕事やライフスタイル、生き方のポリシーを、既存の組織や団体の器に合わせるのではなく、自分自身が実現したいと考える世界をそのままストレートに追求できるようになります。これはリーダーシップを身につけることの最大のメリットです。

私は、「リーダーシップを発揮することは、自動車のハンドルを握ることと同じである。

リーダーシップを身につければ、自身が人生のコントロールを握ることができる」という表現をよく使います。

運転席に座ってハンドルを握ることには、さまざまな負担が伴います。他人の命を預かるというリスクを負っているわけですから、他の席と違って居眠りもできないし、のんびり景色を楽しむことも困難です。それでも、「やっぱり自分でハンドルを握りたい、自分がドライバーとして選んだ道を走りたい」と思った時、それを可能にしてくれるのがリーダーシップという運転技術なのです。

「どこに向かうべきか」という成果目標を設定し、自らハンドルを握ることで運転の負担とリスクを負う覚悟を決め（＝先頭を走る覚悟を決め）、具体的にどの道を行き、どこで止まり、どこで引き返すのか、自ら判断します。同乗者にそれらの決断について伝え、納得してもらう必要もあります。そうでなければ、彼らはあなたが運転する車から降りてしまうかもしれません。成果が達成できない（この場合であれば、目的地にたどり着けない）と思われた場合も同じです。

助手席や後部座席に座って進む人生は、気楽なものです。運転者がどこかに連れていってくれるし、自分の行きたいところがあれば、「あそこに行きたい」と依頼するだけです。それでも「自分でハンドルを握りたい」と考える人はたくさんいます。そして、ハンドルを握り、成果を出し、同乗者から感謝される経験を積んだ運転者の多くが、「もっと険しい道でも運転できるようになりたい」、「もっと難しい目標地点まで、みんなを連れていってあげたい」と考えるようになるのです。

第4章で、リーダーがなすべきこととして、「目標を掲げる」、「先頭を走る」、「決める」、「伝える」の四つを挙げました。人生のコントロールを握るということは、目標を自分で設定し、それを実現するためにリスクをとって、自ら行く道を定め、良し悪しにかかわらずその結果を自身で受け止める覚悟をもつということです。人生を共にする人がいれば、当然「伝える」ことも重要なプロセスとなるでしょう。

世界が広がる

さらにリーダーシップを発揮する環境がグローバルになれば、解決できる問題の範囲も一気に広がります。日本の海岸に打ち寄せ、美しい景観を台無しにする海洋ゴミをなんとかしたいと考えたとしましょう。日本だけで活動するなら、「海岸に漂着したゴミをどのように収集して処分するか」という範囲で問題解決を図ることになります。しかしグローバルリーダーシップがあれば、それらのモノを流している海外の国に住む人たちと連携して、ゴミが海に流されないようにするという解決策にも取り組むことができます。さらに進めば、日本から流れ出て、他国の海岸に漂着しているゴミについての問題解決にも、乗り出すことができるようになるでしょう。

また、アジアを舞台にリーダーシップが発揮できれば、低成長期に入った日本市場だけで活動するより、圧倒的にダイナミックな市場を体感することができます。電力需要の伸びに供給が追いつかない新興国ではよく停電が起こっていますが、インドで停電があると「六億人に影響が出た」などと報道されます。六億人といえば日本の人口の五倍です。世界を舞台に問題解決に取り組めば、いかに大きな成果を上げることができるか、象徴するような数字です。

アジアの大都市で深刻な問題となっている大気汚染に関しても、排気がクリーンな自動車を開発、導入すれば、日本とは桁違いの数の人を不健康な環境から救い出すことができます。このように世界に目を転じれば、特定の問題を解決することにより、現在の日本では想像もできないレベルのインパクトが出せるのです。

加えて、グローバルにリーダーシップを発揮すると、一緒に働く人も多様になります。自分とは異なる価値観をもつ人から学べることは多く、今までは知らなかった世界が目の前に出現します。リーダーシップをとることで、世界が広がっていくのです。

たいていの人は自分と似た人が多く属しているコミュニティで生活しています。しかし、リーダーシップをとって自分の活動領域が広がれば、自然と、異なる価値観をもつコミュニティにつながりができます。大学や会社では出会えなかったタイプの人たちと、ボランティア活動を通して出会ったという経験のある人も多いでしょう。自分でハンドルを握り、あちこちに出かけるようになれば、今までには知り得なかった多くの世界を、体験することができるのです。

変わっていくキャリア意識

リーダーシップを身につけることで問題が解決できるようになると、他者からの感謝を受け、評価される機会も増えてきます。すると次第に、仕方なくリーダー役を引き受けるのではなく、積極的に周りの問題を解決したいという気持ちが出てきます。こういった気持ちの変化は、個人のキャリアの選択にも影響を与え始めます。

マッキンゼーは人の出入りが多い組織です。外部からは「能力のない人がクビになるから」と思われていますが、自ら別の道を歩むことを決断し、卒業を決める人も多数にのぼります。大半の人は、最初から「マッキンゼーでは数年だけ働き、その後は別のことをやろう」と考えているわけではありません。そうではなく、働いているうちにキャリア形成に関する意識が変化し、新たに自分が進むべき道が見えてくるのです。

最初に起こる気持ちの変化は、「解雇されることが怖くなくなる」というものです。入社前は多くの人が「Up or Out」と言われる人事制度に不安や警戒感を示します。何パーセントの人が首になるのか、平均在籍年数が三年というのは本当か、辞めた人はどうなるのか、などと聞きたくなります。

しかし数年も働けば、マッキンゼーをクビになるなどということは、なんら怖いことではなくなるし、恥ずかしいこととさえ感じなくなります。昇格できなくてファームを去ることになっても、それは自分が無能であるとか、使えない人間だという意味ではありません。単に同社で求められているものと自分のもっているもの、もしくは、自分のやりたいことが一致していなかっただけです。

自分の評価は、それぞれが自分の物差し（基準）に沿って行えばよいのであって、マッキンゼーの物差しに合っているかどうかが、自分のビジネスパーソンとしての評価を決めたりはしないと、心底から理解できるようになるのです。

また、プロフェッショナルファームにおけるキャリア形成は、日本の大企業における人事異動とは大きく異なります。辞令が天から降ってくるということはあり得ず、各人はそれぞれ自身のキャリア形成に対して、主導権をもっています。海外転勤についても、海外に行きたいコンサルタントが自分で「〇〇オフィスに行きたい」と声を上げ、その理由を説明し、受け入れ先オフィスとも事前に話し合って、ニーズがあることを確認しておくなど、主体的な活動が求められます。

パートナーが若手コンサルタントに「海外支社に行ってみないか」と提案する場合も、それは業務命令でも辞令でもなく、その人のキャリア形成に関するアドバイスであり、提案にすぎません。それを受けるかどうかは、当事者であるコンサルタント自身が決めることです。断ったからといって、後のキャリア形成に支障が出ることはありません。

このように在職中から、「自分のキャリアは自分でつくる」という態度が求められるため、卒業後のキャリアについても当然に、それぞれの人が自分で考え始めます。

なかでも大きな変化は、過去に自分が積み上げてきたものから離れて、ゼロベースでキャリアが考えられるようになる、という点にあります。たとえば、一般的に工学部や理学部出身の人は、自分は研究者か技術者になるべきだと考え、「技術に関わらない仕事をするなんて、もったいない」と考えています。医学部出身の場合や、司法試験に合格している場合はなおさらです。「せっかく取得した資格を活かさないなんて、もったいない」と考えるのです。

しかし、今まで学んできたことの延長線上ではない場所に、やってみたいことが見つかった時、「学生時代の専攻が〇〇であったから」などという理由のために、それを選ばないことの方がよほど「もったいない」でしょう。重要なのは、過去に学んだ知識や、過去に特定分野を極めるために使った時間ではなく、これからの時間であり、これからの人生です。

理系の博士号の保有者で、マッキンゼー入社時には、技術関連のプロジェクトに携わりたいと考えていたのに、卒業時には「小売業の経営を極めたい」とか「日本は技術にこだわりすぎ。大事なのは営業」などと言い出し、技術職以外のキャリアを選ぶ人もいます。そこには「九年もかけて取得した博士号を活かせる仕事をしないなんてもったいない」という発想は、存在しません。

ゼロベースで考えろ、固定観念にとりつかれるな、成功体験にこだわるな……そういった、仕事中に何度も問われる言葉が、自身のキャリア選択を検討する際にも浮かんできて、行く道の選択肢を広げてくれるのです。

そして、過去に考えたこともないような選択肢を現実的に選べるようにしてくれるのが、在職中に身につけた問題解決スキルであり、リーダーシップです。たとえば大企業から、制度や人員の体制が整っていない中小企業に転職することは、誰にとっても不安なことでしょう。しかし、「環境が整っていないなら、改善すればいい」、「どうしてもだめなら環境が整った場所を新たに探せばいい」、さらには「自分で環境が整った組織をつくればいい」と考えることができれば、不安に思うことはなくなります。

これまでリーダーシップを発揮し、さまざまな成果を達成してきたという経験と自信は、組織の力に頼らなくても、自分の力で結果が出せるという自信につながっています。リーダーとして繰り返し修羅場を乗り切った経験があれば、「自身で実現できる世界」の範囲も相当に広がっており、恐れることなく自分の世界観の実現のために組織を離れ、新しい活動を開始することが可能になるというわけです。

価値観転換機関としてのマッキンゼー

自分の物差しで物事を評価できるようになった人は、社会の規範から解放され、一流企業で働くこと、より有利と言われるキャリアを積むことに、こだわらなくなります。世間的な評価に拘泥されない、自由なキャリア選択ができるようになるのです。

別の視点からこのことを見れば、マッキンゼーは一種の「価値観を転換させる機関」として機能しているとも言えます。

欧米では以前からそうですが、最近は日本でもマッキンゼーは就職・転職市場におけるいい会社、入りたい会社のひとつになりました。近年の応募者の多くは、マッキンゼーに入ることを世間的な意味でのキャリアアップと考えています。

企業名が評価されてブランド化することには弊害も伴います。コンサルティングにも企業経営にも関心がない応募者も出現するし、力試しや記念受験で受けてくる人も出てきます。その一方、ある時から私は、「ブランドとしてのマッキンゼー」を活用して人材を採用することに、別の意義も感じ始めていました。マッキンゼーで働くことで価値観が変わり、新たな世界に目が開く人たちが存在するのであれば、それを利用して、社会の人材配分の適正化に貢献できるのではないか、と考え始めたのです。

応募してくる人の多くは一流大学の学生や、一流企業で働いていた人たちです。霞が関の官僚や、医師や弁護士など資格職に就いていた人もいます。マッキンゼーという企業名が世間で評価されていることは、彼らが就職や転職を考える際、重要な決め手のひとつであったはずです。

医学部から応募してくる学生の中には、「マッキンゼーなら入社するけれど、そうでなければ医者になります」という人もいます。一流企業で働いている人も、「マッキンゼーなら転職を考えるけれど、そうでなければ転職せず、今の会社に残ります」と言う人がいるのです。

もともと一流と自認する場所にいる人にとって、同じレベルのブランドであるマッキンゼーなら転職をしてもいいけれど、名もないスタートアップ企業や中小企業には（仕事の中身にかかわらず）転職したくない、できない、することを躊躇してしまう、といった気持ちがあるの

図表15　価値転換機関としてのマッキンゼー

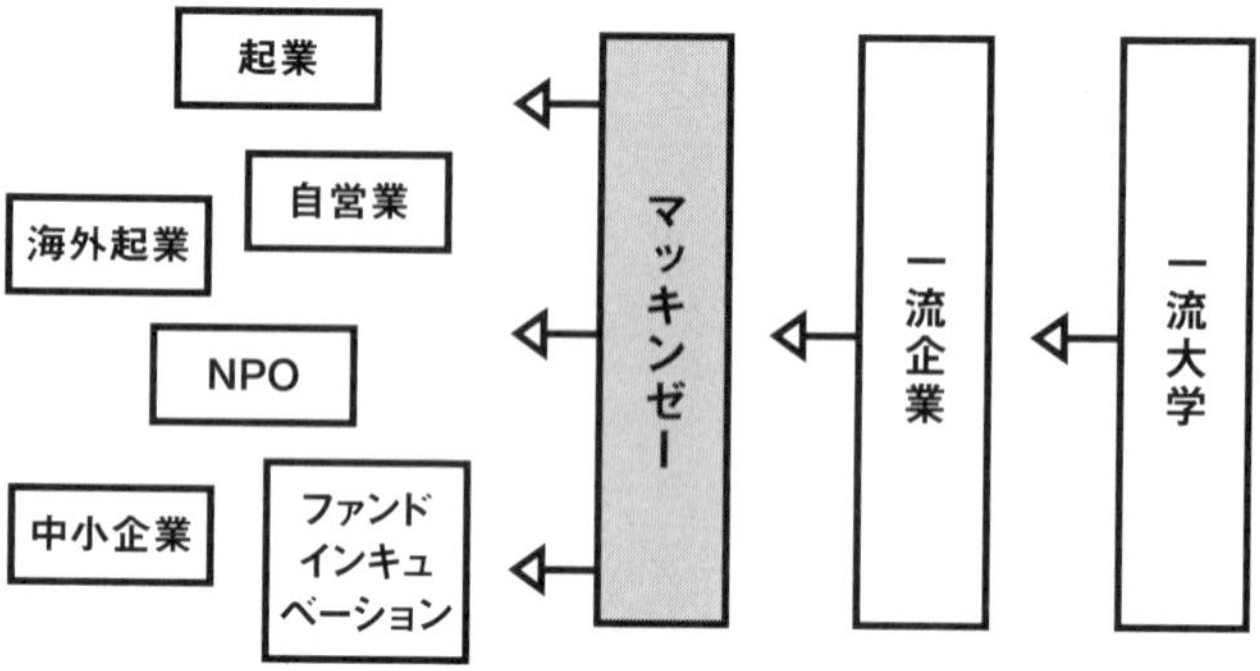

も正直なところでしょう。
ところが先ほど述べたように、そんな人たちもマッキンゼーで数年も働くうちにメンタルセットが大きく変化し、自身の問題解決力やリーダーシップに自信がつくことで、次の仕事に関しては寄らば大樹ではなく、自分がやりたいことができる場所を選ぶという考えに変わっていきます（図表15参照）。
最初は「ブランドとしてのマッキンゼー」に惹かれて入ってきた人たちが、自分はコレをやってみたいのだと思える仕事にめぐり合えば、名もない会社に転職することに躊躇しなくなるのです。また、最初から条件の整った企業に入らなくても、自らの力で状況を変えていけると考えるようになるため、そこに大きなチャンスがあると思えば、未整備の環境でも思い切って飛び込むことができるようになるのです。

つまり彼らは、キャリアの途中でマッキンゼー在籍を経ることにより、企業の規模や知名度ではなく、「やりたい仕事ができるか」という自分独自の基準で、その後のキャリアを決めるようになるのです。

東京大学を卒業し、経済産業省を経てマッキンゼーに入ったのち、伸び盛りのベンチャー企業に転職した知人は、「マッキンゼーに来なければ、こういった転職はあり得なかった」と言っていました。プライドの問題だけではなく、今までは、そんなところで働く自分のイメージがまったく想像できなかったそうです。しかしいったんマッキンゼーで働くと、異なる世界が見えてきたというのです。

京都大学で理学系の博士号を取り、マッキンゼー入社後にＭＢＡ留学し、その後ＮＰＯを立ち上げた若者は、「理系の博士号をもちながら、わざわざ高いお金をかけてＭＢＡ留学をしようなんて、当時は想像もできないことだった」と笑っていました。周囲からは当然のように研究者になるのだと思われていたけれど、その世界に違和感を覚えてマッキンゼーに入社。周囲の自由なキャリア形成の実例を見聞きするうちに、「博士号をもっているからといって、技術や研究に関連した分野だけからキャリアを選ぶ必然性はないのだと理解した」と言います。

いずれもマッキンゼーが、同社を経由する人にとって、今までいた場所とまったく異なる場所に転身することの心理的な障害を取り除く機関として機能していることが、よくわかる事例です。

就職状況が厳しいと言われる昨今でも、応募者が殺到するのは一部の大企業、有名企業だけです。ベンチャー企業や中小企業の中には、優秀な人材さえ確保できれば海外進出や新事業の展開も可能になるのに、必要な人材が確保できないがために、成長の可能性が限定されてしまっているところもあります。

一方で大企業には、大量の優秀な人材が在籍しているにもかかわらず、何年も利益が出せず、部門の年間目標が、何年も続けてコスト削減であったり、ポストが足りないために部下をもてず、マネジメントの経験さえ積めないままに四〇代になってしまう人がいたりと、必ずしも優秀な人材を有効活用できていません。

私たちはよく「日本には人材しか資源がない」と言います。そんな国で人材が有効活用できていないとすれば、それはあたかも、サウジアラビアが石油を活用せず、海に流して捨てているのと同じくらい馬鹿げたことです。

本来、効率的なリソース配分を行うのは市場の役目です。シリコンバレーをはじめとして、アメリカで多くのＩＴ系ベンチャー企業が勃興し、急成長した理由のひとつには、優秀な技術者を大量に抱えていたＡＴ＆Ｔ（当時）やＩＢＭが大規模なリストラを行い、多数の技術者を市場に供給したことが挙げられます。人材の流動性を高め、マッチング機能をもった労働市場があることで、時代の流れとともに役目を終えた産業から新しい産業へと人材が移動し、斜陽化する産業に替わって新興企業が経済を牽引し始めるのです。

日本の場合、雇用規制や終身雇用信奉もあり、効率的な人材配分市場が存在していないことが、時代についていけなくなった企業の変革を遅らせ、新興企業の成長の阻害要因となっています。そんな中で、ごく微力ではありますが、マッキンゼーは「優秀な人材を、彼らを最も必要とする分野や企業に再配分する仕組み」として、存在価値が出せると感じたのです。

採用マネジャーとしての私の公式の使命は、将来マッキンゼーのリーダーとなるタレント（才能）を見つけ出し、採用につなげることでした。しかしそれと同時に、「新卒で就職した場所で一生働くことになるだろう」と漫然と考えていた人たちに、キャリア形成という概念を紹介し、問題解決スキルやリーダーシップを得るための訓練機会を与え、自らの価値観に基づいて行く道を選ぶ人を増やすこともまた、自分の重要な役割であると思えたのです。

広がる世界で人生のコントロールを握る

そういった意識や価値観の転換は、マッキンゼーを経なくても、リーダーシップを身につけた人の多くに起こります。

リーダーシップを持った人は、大樹に頼らなくても自分の力で状況を変えていけると考え始めます。自分で人生を切り開いていけるという自信が、社会の規範から逃れた自由な発想につながり、守られた場所から出ていくことを、リスクだと感じなくなるのです。

しかも今は、社会の規範、価値観を離れて、ゼロから自分の人生を設計できるようになった人たちが手に入れられる世界は、劇的に広がりつつあります。

ＩＴ技術とウェブ環境の普及により、事業を起こしたり、ＮＰＯ活動を始めたりする際に必要な資本の額は、大きく低減しました。リスクマネーの供給システムが整い、巨額な資本が必要な宇宙開発やバイオのような分野でさえ、民間企業が参入できます。ＳＮＳの普及により、必要なノウハウや知識をもつ人的リソースも、優れたリーダーの下に集まりやすくなりました。

加えて、世界は急速につながりつつあります。世界中の人がグーグルやフェイスブックを使い、ＹｏｕＴｕｂｅを通して同じニュース映像を見、ｉＰｈｏｎｅを片手にアマゾンから買い物をするのです。アジアのどこの国でも、日本のアニメやＫ-ＰＯＰが流行り、ＬＣＣに乗って大量の人が異なる国で教育を受けたり働き始めたりしています。国際化やグローバリゼーションというと難しく聞こえますが、その本質は「世界がつながり始めた」ということです。

国と国との境壁が低くなり、意識をしなくても超えられる程度になってきたのです。

江戸時代には、薩摩藩の武士が江戸に移住するのは大変なことだったでしょうが、今は鹿児島出身の人が東京で働くことは驚くようなことではありません。同じようにこれからは、東京出身の人がデリーやジャカルタで働くことも、ごく普通のことになるでしょう。

そして、そういった世界に出ていけるのは、英語ができる人でも頭がいい人でもなく、リーダーシップを身につけた人にほかなりません。強く市場から求められる専門性があれば、通訳をつけて海外で活躍することもできるし、自分にはない専門知識や洞察力、思考力をもつ人材を、チームメンバーとして率いることもできます。しかし、リーダーシップだけは自分でもっていないと航海に旅立つことができません。


リーダーシップを身につけた人たちは今、人生のコントロールを取り戻し、広がる世界で自分自身の生き方を模索し始めています。彼らのリーダーシップにより、日本企業や日本の社会が抱える問題の多くが解決できるでしょう。しかし最も重要なことは、個々人が与えられた枠の中で生きるのではなく、自分自身の力で人生を設計できるようになることです。

この本のタイトルは『採用基準』です。多くの人が、マッキンゼーの採用基準を地頭や論理的思考力であると考えています。しかしそこで求められているのは、「将来のリーダーとなるポテンシャルをもった人」です。そしてそれは、今の日本に必要な人材そのものなのです。

「リーダーシップ」は、これからの世界を生き抜く人たちのパスポートです。組織とは、所属し、守ってもらうものではなく、率いるものになるのです。

本書を読んでくださった方の中から、リーダーシップの本来の意味とその重要性を理解し、それを身につけることによって、自らのキャリアと人生を自分の手で切り開いていこうとされる方が、一人でも増えることを祈っています。

あとがき

この本を書いていた数カ月の間、原稿を送るたびに担当の編集者の方から、「マッキンゼーを褒めすぎ。もっとバランスのとれた文章に」と求められました。自分としてはそんなつもりはないのに、あまりに何度も同じことを言われるので、苦笑せざるをえませんでした。

私もマッキンゼーが理想的な職場だとか、完璧な企業だと考えているわけではありません。成果主義が徹底された環境は誰にとっても厳しいものであり、すべての人が高い緊張感の下で働いているため、無用な摩擦も起こりやすくなります。コンサルタントとして働いているだけでは学べない社会の現実やスキルも存在しますし、朝から晩まで仕事のことを考えているような生活のためには、多くのものが犠牲にされてしまいます。

ここでこんなことを書いても遅きに失しているのかもしれませんが、マッキンゼーを礼賛することが、本書の目的ではありません。もしも皆さんがそのように感じられたとしたら、私自身が一七年間も在籍した場所をよりよく語ることで、無意識のうちに自己肯定を図ろうとしているのでしょう。この点に関しては、ご寛容にご理解をいただければと思います。

私が本書で伝えたいと考えたことは、世間の評価に流されず、自分自身の生き方を追求するために不可欠なものが、リーダーシップだということです。

最近の若者は、とても優秀です。右肩上がりで成長し続ける未来を疑わず、大企業というベルトコンベアに乗っていれば明るい未来が約束されていると信じていた私の世代（一九八〇年代半ばに大学を卒業）とは異なり、変わらない現状への危機感や自己決定の必要性を強く感じています。

一流大学に在籍しながら通常の就職活動を行わず、ある地方のコミュニティ再生に取り組み始めた若者に会った時、「なぜいったん就職することを考えなかったのか」と聞いてみました。すると彼は、「今の日本では、大学新卒時に就職するというカードがあまりにパワフルなため、みんなそればかりにこだわっている。だから自分はあえてそのカードを使わずに、キャリアをスタートさせたかった。社会を変えたいなら、まずは自分の生き方を変えないと始まらないと思った」と答えてくれました。

「社会を変えたいなら、まず自分の生き方を変えないと始まらない」、言われてみればその通りなのですが、自らそれを実践する若者からこの言葉を聞き、衝撃を受けました。彼も含め、こういう若者がマッキンゼーを受けに来ることはありません。彼らに会いたければ、私が外にでる必要があったのです。

今後はより自由な立場でさまざまな人々と会い、その生き方を広く発信していくことで、大学生や若手社会人の方はもちろん、中学生や高校生にも、さまざまな生き方、働き方、暮らし方があることを伝えていきたいと考えています。

リーダーシップをもって自分の人生のコントロールを握ることで、どのようなキャリア形成が可能となり、どのような人生を送ることができるのか。実例をもってそのことをビビッドに伝え、多くの人にとって、自分の将来の選択肢が、想像より遥かに多彩なのだと理解していただけるよう、今後も微力ながら尽力していきたいと思います。

[著者紹介]
伊賀 泰代（いが　やすよ）
キャリア形成コンサルタント。兵庫県出身。一橋大学法学部を卒業後、日興證券引受本部（当時）を経て、カリフォルニア大学バークレー校でMBAを取得。1993年から2010年末までマッキンゼー・アンド・カンパニー、ジャパンにて、前半はコンサルタント、後半は人材育成や採用マネージャーを務める。2011年に独立し、文筆・発信活動を続けるほか、リーダーシップ教育や生産性向上のための啓蒙活動にも従事。著書に『採用基準』のほか『生産性』（ダイヤモンド社、2016年）などがある。

採用基準
——地頭より論理的思考力より大切なもの

2012年11月8日　第1刷発行
2025年7月14日　第15刷発行

著　者——伊賀泰代
発行所——ダイヤモンド社
〒150-8409　東京都渋谷区神宮前6-12-17
https://www.diamond.co.jp/
電話／03·5778·7228（編集）　03·5778·7240（販売）
装丁————水戸部 功
本文レイアウト—松好那名（matt's work）
製作進行——ダイヤモンド・グラフィック社
印刷————堀内印刷所（本文）・加藤文明社（カバー）
製本————ブックアート
編集担当——岩佐文夫

ISBN978-4-478-02341-9